I0581970

HET LEED DAT LIEFDE HEET

MARTIN BRIL

Het leed dat liefde heet

en andere taferelen

2005 Prometheus Amsterdam

De meeste stukken die in dit boek zijn opgenomen verschenen eerder in *de Volkskrant*
Omslagontwerp Buro Plantage, Gerard Hadders
Foto auteur Klaas Koppe
www.uitgeverijprometheus.nl
ISBN 90 446 0683 2

Prometheus is een onderdeel van de samenwerkende uitgeverijen Prometheus/Bert Bakker/Vassallucci

Meerzicht

'We passen niet bij elkaar,' zei de ongeveer twintigjarige blondine tegen de jongen naast haar op het terras van Boerderij Meerzicht, een pannenkoekenhuis in het Amsterdamse Bos. Ze nam een slok van haar witte wijn en keek stuurs voor zich uit.

'Waarom niet dan?' vroeg de jongen. Hij was een shaggie aan het rollen – Drum – en keek zenuwachtig opzij. Daarna likte hij de sigaret dicht en draaide hij de kleine pluimpjes tabak aan de uiteinden eraf. Hij maakte er bolletjes van die hij tussen duim en wijsvinger wegschoot.

'Dat je dat niet aanvoelt,' zei de blondine boos. 'Zie ons nou zitten hier...' Ze nam opnieuw een slok wijn.

De jongen had de sigaret tussen zijn lippen hangen, maar aarzelde nu met opsteken – ten prooi aan twijfel; hoe kon hij zichzelf hier zien zitten? Moest hij opstaan, blijven zitten, hoe deed je zoiets? Hij stak de sigaret op met een blauwe wegwerpaansteker.

'Ik vind het hier bijvoorbeeld niet leuk,' hielp de blondine hem een handje, 'en jij wel.'

'Ik vind het hier helemaal niet leuk,' reageerde de jongen onmiddellijk, 'maar d'r is niks anders in de buurt.'

'Dat weet je helemaal niet.'

'Dat weet ik wel, we hebben toch niets gevonden?'

'Man, we zijn nergens geweest, we zijn hier rechtstreeks naartoe gereden. Ik dacht dat we een leuke wandeling gingen maken, en dan ergens op een terras gingen zitten.' De blondine nam haar tas op schoot en begon erin te rommelen.

'Wat is er?' vroeg de jongen.

'Ik krijg een sms'je binnen, even kijken van wie.' Ze had haar telefoon nu te pakken en bediende de knopjes.

'En?' vroeg de jongen. 'Je ex?'

De blondine zat over haar toestel gebogen om een bericht terug te sturen. 'Nee, m'n zus, nou goed.' Ze lachte schel.

De jongen haalde zijn schouders op en keek om zich heen. Het terras was nagenoeg leeg. De rode parasols met het Hero-logo waren ingeklapt. Verderop zat een oudere dame een boek te lezen, een kop thee op tafel. Binnen in het pannenkoekenhuis was het ook al niet druk, langs de ramen zaten hier en daar wat mensen. Achter een bijgebouw klonk af en toe het krijsen van een pauw. 'Ik geloof er niks van,' zei de jongen.

'Ook zoiets,' zei de blondine fel, 'jij zoekt overal wat achter, jij bent altijd jaloers, jij denkt dat ik het met iedereen doe.'

'Dat denk ik helemaal niet,' zei de jongen.

'Man, dat zie ik toch; iedere keer als ik een sms'je krijg, word jij jaloers.'

'Echt niet,' zei de jongen slap. Hij trok aan zijn shaggie.

'Ik wil hier weg,' zei de blondine en ze stond op. 'Ik heb het koud, er is hier geen bal te beleven en ik háát pannenkoeken.' Ze liep weg.

De jongen kwam overeind. 'Je kan hier ook wel iets anders eten, hoor,' riep hij, maar de blondine reageerde er niet eens op: met grote, ferme stappen beende ze naar het hek, haar lange blonde haar deinde boos op haar rug.

Echo

'Hè toe, schat, kom op, laat zien,' drong de man aan en hij sloeg een arm om de vrouw heen.

'Je ziet er niks op,' mompelde de vrouw.

'Natuurlijk zie je er iets op, anders loop je er niet mee rond. Kom op, of ben je bang voor me?'

'Nee, waarom zou ik?'

'Nou ja,' zei de man nonchalant, 'het zou toch kunnen? Zo leuk ben ik niet. Kom, laat zien die echo! Ik heb er nog nooit eentje gezien, weet je dat?'

De vrouw keek de man sceptisch aan. Alsof hij haar al vaker iets op de mouw had gespeld.

De man keek terug.

De vrouw zuchtte, haakte haar tas van het fietsstuur, ritste hem open en begon erin te rommelen.

De man keek even om zich heen. Het was nog vroeg. Een uur of tien, in de Leidsestraat in Amsterdam. De meeste winkels waren dicht. In de portiek van een pizzeria lag een zwerver te slapen. In de verte naderde een tram. De man wierp snel een blik op zijn horloge, en drukte toen de vrouw tegen zich aan. 'Heb je hem?' vroeg hij. En even leek het alsof hij haar oor wilde zoenen.

'Niet doen,' zei de vrouw. Ze had een dikke Filofax-agenda in haar hand.

'Ik doe toch niets,' lachte de man, maar hij haalde wel zijn arm om haar schouder weg.

De vrouw viste een polaroidfoto uit een vakje in de agenda. Ze liet hem zien. 'Kijk,' zei ze, en met de nagel van haar wijsvinger wees ze een vlekje op de foto aan. De nagel was rood.

'Wat is het?' vroeg de man, die iets vooroverboog. 'Een jongetje of een meisje?'

'Dat kun je niet zien op de foto,' zei de vrouw, 'en ik wil het ook niet weten. Dat is spannender.'

De man zweeg.

'Oké, nu heb je het wel gezien, hè?' De vrouw stopte de foto terug in de agenda en de agenda terug in de tas, die ze daarna snel dichtritste – alsof de inhoud het anders koud zou krijgen. Er zat ook iets boos in het gebaar. Ze had de foto niet moeten laten zien. Ze haakte de tas weer aan haar stuur.

'En verder?' vroeg de man.

'En verder wát?'

'Hoe gaat het met je?'

'Goed, heel goed, fantastisch. Ik ben eindelijk zwanger. En ik heb een leuke man.' Ze stond nu klaar om weg te fietsen, de fiets tussen haar benen, de billen bijna op het zadel, de linkervoet al op de trapper. 'En jij, gaat het een beetje?'

'Z'n gangetje,' antwoordde de man. Zijn blik had de hare losgelaten. De tram, die eraan kwam, remde af voor de halte iets verderop.

'Oké, nou ja, ik zie je wel weer, hè,' zei de vrouw luchtig. Ze wipte op het zadel en reed weg, de eerste meters slingerend, maar toen heel zeker, en steeds sneller.

De man stak de straat over naar de tramhalte en stapte in de tram. Met zijn voet op de treeplank keek hij de vrouw nog even na. Toen verdween hij naar binnen. Meteen daarna gleden de deuren dicht, en reed de tram weg.

Echtpaar

Het was halfelf. In de Leidsestraat waren de werkzaamheden in volle gang en ter hoogte van de Kerkstraat liepen Bram Peper en Neelie Kroes. De zon scheen.

De voormalige minister van Binnenlandse Zaken zag er goed uit. Hij droeg een corduroy broek en een blauw winterjack. Hij had zijn handen ontspannen op de rug liggen. Ze speelden met elkaar – vriendelijke, bleke, blote handen.

Zijn vrouw zag er ook patent uit. Zij droeg een lange zwarte jas met zwarte bontkraag. Ze had rood haar en het hoogste woord.

Ze liepen in de richting van het Koningsplein. Veel oog voor de omgeving hadden ze niet. Twee jonge agenten waren fietsers aan het bekeuren en bij de delicatessenzaak van Eichholz werden de ramen gelapt. Niemand keek op van het bekende echtpaar.

Op de hoek met de Keizersgracht aarzelden ze. Rechtdoor lag de straat helemaal open. Witte schermen stonden langs het werk opgesteld. Peper en Neelie overlegden, keken om zich heen, omhoog vooral – naar de straatnaambordjes –, en sloegen toen links af, de gracht op.

Ze kwamen langs een chique modezaak. Links en rechts van de ingang stonden hoge ladders van glazenwassers, die beneden aanstalten maakten naar boven te klimmen. Peper en Neelie vertraagden, toen trok hij haar aan de hand mee naar de etalage.

Ze keken even.

Ze vervolgden hun wandeling. Een witte Mercedes-bus van het GVB bolderde hen tegemoet. Het was de Opstapper. Er stonden vrolijke vlaggetjes op, maar er werd niemand in vervoerd. Achter het stuur zat een sombere chauffeur.

Het echtpaar liep verder, nu op de stoep. Brams handen speelden nog steeds op zijn rug, en Neelie praatte. Op de brug over de Leidsegracht bleef Peper stilstaan. Hij keek uitgebreid naar het kleine grachtje dat zich op dat punt ook inderdaad in volle pittoreskheid uitstrekt. Zonlicht streelde even het montuur van zijn bril. Neelie wilde doorlopen.

Ze staken over naar de andere kant van de Keizersgracht waar de zon scheen. Peper wees een mooi pand aan. Ze hielden weer halt. Nu scheen de zon mevrouw recht in het gezicht. Ze lachten.

En liepen weer.

Het beeld uit.

Moeilijk te zeggen waarom dit zo'n mooie gebeurtenis was en waaraan je kon zien dat het hier een goed huwelijk betrof. Waren het de handen op Brams rug en de bedachtzame knikjes die hij af en toe in het betoog van zijn vrouw plaatste of waren het de graagte en het goede humeur waarmee zij hem vertelde wat er zoal in haar omging? Was het de wonderlijk ontspannen manier waarop man en vrouw met alleen aandacht voor elkaar door het centrum van de stad liepen? Was dit nou zo'n stel dat zichzelf genoeg was?

Het leek erop.

Dit was een kleine verrassing op een doordeweekse dag die knisperde van levenslust, een verrassing vergelijkbaar met de zang van een merel. Het leven gaat almaar door, zingt de merel, en zelfs ministers die door het slijk zijn gehaald kunnen even gelukkig zijn. Later mislukt dan toch hun huwelijk, dat wel.

Tijd

Liggend in de tandartsstoel had ik perfect zicht op een eenvoudige, oranje klok van de Blokker en dat bracht mij bij de 5,1 minuten die de Nederlandse man gemiddeld per keer in zijn vrouw doorbrengt, gerekend vanaf het moment van penetratie tot het moment van ejaculatie, nare woorden, inderdaad.

Daarna kan je als man natuurlijk nog een beetje uithijgen en wachten tot je eruit floept of een duw krijgt, maar die tijd telt niet mee in de wereld van de Utrechtse professor Waldinger, de man die dit cijfer onlangs openbaar heeft gemaakt.

5 komma 1.

Erg slecht scoort de Nederlandse man daar niet mee, trouwens: een Spanjaard houdt het maar 5,8 minuten vol, en een Turkse man is na 3,7 minuten al uitgeput. Het best scoort de Brit: die timmert 7,6 minuten aan de weg alvorens de kleine dood te sterven. Amerikanen doen er 7 minuten over.

5 komma 1.

Op het eerste gezicht is het kort, dat valt niet te ontkennen, maar op het tweede gezicht is het een eeuwigheid, daar kwam ik al kijkend naar die oranje Blokkerklok achter, terwijl de tandarts een kies vulde. Vanaf het moment dat de boor begon te gieren tot het moment dat de assistente de infraroodlamp waarmee het materiaal van de vulling gehard wordt in mijn mond hing, passeerden tien minuten, misschien een paar tellen meer.

De eerste 5 komma 1 minuten van die hellegang probeerde ik aan mijn vrouw te denken, maar als we die tijd daadwerkelijk samen in vleselijke vereniging door hadden moeten brengen, al dan niet in een tandartsstoel, had ik de tweede helft van de tien minuten niet eens gehaald – zo vreselijk lang duurde het voor de grote wijzer van vijf over halftien naar tien over halftien was gekropen.

5 komma 1.

Aanvankelijk was ik geschrokken van het getal, misschien wel in mijn mannelijke wiek geschoten. Zouden we werkelijk maar zo kort van het ware werk genieten? Maar nu wist ik dus beter.

In 5 komma 1 minuten kan de wereld vergaan. In 5 komma 1 minuten kan je hele levens navertellen en op twee rondjes na de vijf kilometer schaatsen. Voor de aardigheid zou u eens 5 komma 1 minuten aan God moeten denken – dan begrijpt u wat ik bedoel.

Aan de andere kant, zo overwoog ik gedurende de tweede helft van de behandeling, is er het fenomeen van de voortrazende tijd: iets wat voorbij is voor je er erg in hebt.

Een film van anderhalf uur die maar 5 komma 1 minuten lijkt te duren, een avond met vrienden die zo snel gaat dat er geen tijd is voor goede gesprekken, een vakantie die om is voor je het weet. Hoe verhield dit tijdsbesef zich tot het eerste, of was alles een kwestie van insteek, *excusez le mot*, van humeur, lust en plezier?

5 komma 1.

De tandarts liet de stoel omhoogkomen, altijd een fijn gevoel. Ze was klaar, ik mocht mijn mond spoelen, het slabbetje ging af. Een spiegel werd aangereikt, zodat ik de gevulde kiezen kon bewonderen, want in plaats van één had ze er twee gedaan, zo bleek.

Op de klok zag ik dat er drie kwartier waren verstreken, bijna negen keer de liefde, volgens professor Waldinger. Ik schrok ervan: met de tijd viel duidelijk niet te spotten. Een hard gelag, de minuten die verstrijken.

Texel

De vrouw arriveerde als eerste bij het terras van de strandtent: Paal 9 bij Den Hoorn op Texel. Ze droeg een fleurig windjack. 'Henk, een mooi tafeltje! Uit de wind!' riep ze naar een man die vijftig meter achter haar liep. Ook hij had een fleurig windjack aan. Met gebogen hoofd klom hij tegen de duinen op. Het was zaterdagmiddag, een uur of drie.

De vrouw betrad het terras. Hier en daar zaten wat mensen met de handen om een beker warme chocolademelk gevouwen. Het tafeltje dat de vrouw op het oog had, stond in een hoek van het terras en werd aan twee kanten beschut door glas.

De vrouw ging zitten, keek naar de lucht en ritste haar jack open. 'Het zonnetje breekt door,' riep ze naar Henk, die aan de aan de andere kant van het glas de laatste meters naar het terras aflegde. Ze wees naar de lucht.

Henk keek.

En inderdaad.

De vrouw fatsoeneerde met haar handen haar blonde haar, sloot toen verlekkerd de ogen en liet zich beschijnen door de warme zon. Maar toen de man naast haar neerplofte, schoof er een dikke wolk voor. Er bestond geen verband tussen de twee gebeurtenissen. Het was gewoon een slechte dag om naar het strand te gaan. 'Ik wou dat we thuis waren,' bracht de man het onder woorden.

'Jij ook altijd,' beet de vrouw terug.

'Ik heb het koud,' zei de man. Hij keek om zich heen en naar de lucht. Vanuit het noorden kwam er een dik pak inktzwarte bewolking hun kant op. 'Moet je kijken,' mompelde hij, 'dat waait niet over, hoor.'

'Wedden van wel?'

De man lachte bitter.

Een serveerster kwam uit de strandtent. Op haar dienblad stonden drie grote pullen bier voor de Duitse wandelaars met verrekijkers die verderop zaten. Nadat ze de consumpties had afgeleverd, kwam ze naar het stel, dat na enige aarzeling koffie met appelgebak en slagroom bestelde. Daarna verdween ze weer.

'Hoe laat zullen we morgen weggaan?' vroeg de man.

'Begin je nou weer? Dat zien we toch morgen wel? Volgens de radio is het morgen beter. Dan kunnen we nog even genieten.'

'Ik wil geen uren wachten bij die boot,' bromde de man, 'laten we voor de drukte weggaan.'

'We zien het wel, hè,' zei de vrouw.

De inktzwarte bewolking hing nu pal boven het terras, maar er viel geen druppel regen uit – wat toch wel opmerkelijk was.

De man haalde een verfrommelde plattegrond van het eiland uit zijn jaszak. 'Wat gaan we straks doen?' informeerde hij. 'Terug maar naar het huisje, hè...' Hij bestudeerde het kaartje, of deed alsof. Na een tijdje stak hij het weer in zijn zak. Hij keek omhoog – de lucht was nog steeds zwart, maar boven zee waren strepen blauw te zien.

'Het waait open,' zei de vrouw.

De man rilde in zijn fleurige windjack en sloeg een blik op zijn horloge. Een lang weekend op Texel – ook als hij vaak op zijn horloge keek, ging het niet sneller voorbij. De serveerster kwam met hun koffie. De wind blies de slagroom van het appelgebak.

Verliefd

Weinig is zo moeilijk als in een restaurant naast een verliefd stelletje te zitten. Maar het begint allemaal nog goed; het tafeltje naast je is leeg.

Dan loopt de zaak vol.

Je begint te vrezen voor je rust, en je ruimte. Het lijkt wel alsof er steeds meer tafeltjes in steeds kleinere restaurants komen en ook de tafeltjes zelf worden almaar kleiner – je kunt nog net je telefoon kwijt. Als je begint te vrezen voor breedsprakige buren die jou graag in hun conversatie betrekken, arriveert het verliefde stel.

De ober helpt hen aan tafel en ze zitten nog niet of ze houden elkaars hand vast. Even kijken ze jouw kant op, maar het is net alsof ze je niet zien.

Ze schuiven allebei naar het puntje van hun stoel, om elkaar te zoenen. Ze blijven zo zitten om elkaar diep in de ogen te kijken. Het lange haar van de vrouw hangt bijna in de kaars. Het vlammetje schittert in haar ogen, haar mond is vochtig. Zijn hand streelt haar wang. Het lijkt wel alsof hij nog nooit zoiets zachts heeft gevoeld – hij is nu al in extase.

De ober komt.

Hij ziet in een oogopslag hoe laat het is. Bijna onzichtbaar, maar hij haalt even de schouders op. Hij draait zich om en haast zich naar een ander tafeltje. Het rumoer van etende, pratende, drinkende mensen lijkt niet door te dringen in de cocon die de geliefden om zich heen hebben gesponnen.

Ze strelen elkaars handen.

Ze friemelen aan elkaars vingers, elkaars ringen, elkaars polsen, elkaars nagels. Hun handen hebben nog nooit andere handen zo intens bezocht – geen haartje, geen knokkel, geen wondje, geen loszittend velletje aan een nagelriem, geen oneffenheidje, niets ontgaat de verliefde handen – de hare slank en klein en uitmuntend verzorgd, de zijne groot, maar met korte, dikke vingers.

Je ziet het allemaal.

Weer arriveert de ober – deze keer bestellen de geliefden iets te drinken, en de kaart, die ze niet inzien. De wijn komt onmiddellijk, de ober vraagt niet eens of ze al een keus hebben gemaakt, hij kent zijn pappenheimers.

Heel af en toe kijkt de man terloops opzij. Hij voelt de blikken van de buurman. Het liefst kijkt hij opzij terwijl hij net haar vingers naar zijn mond brengt om de toppen te kussen – hij wél, zegt hij daarmee, jij niet.

Het ergste is nog dat jij ook niet alleen bent, maar met je eigen geliefde, die al tien jaar of langer het leven met je deelt. Was het voor jullie vroeger ook zo, of anders? Waren jullie ook zo in elkaar verdronken, of juist niet en is het daarom dat er nu zo weinig tekst passeert aan jullie tafeltje?

Dat soort dingen.

Heel soms, heel soms, zie je naast je in haar glimmende ogen de angst; als dit maar goed gaat, als dit de ware maar is, ooh, als er maar geen addertje onder het gras zit.

Maar dan streelt ze alweer zijn ruwe wang – je kunt het raspen van zijn stoppelbaard onder haar vingertoppen bijna horen. Dan heffen ze giechelend, maar met grote ernst, het glas op de toekomst en de liefde.

Twist

'Dat mééééééén je niet!!!!!!'

'Wat een reactie weer, tjonge jonge, doe normaal.'

'Moet je horen wie het zegt! Kun je nou nooit eens rekening met mij houden?'

'Ik hou altijd rekening met jou.'

'Ooh ja? Die indruk heb ik nou helemaal niet. Je doet altijd maar wat.'

'Ik doe helemaal nooit wat.'

'Hoor je jezelf wel?'

'Uh? Hoe bedoel je?'

'Hoor je jezelf wel: ik doe helemaal nooit wat.'

'Nou ja, bij wijze van spreken. Jeeeezus zeg, je snapt best wat ik bedoel.'

'Ik snap helemaal niet wat jij bedoelt. En jij snapt mij niet.'

'Ik snap jou prima.'

'Je snapt mij helemaal niet, kom nou toch! Waar heb ik het dan over? Nou?'

'Je hebt de pest in omdat ik er vanavond niet ben.'

'Juist ja. En weet je waarom? Omdat je vanochtend nog zei dat je vanavond gezellig thuis was. En weet je wat ik toen gedaan heb? Nou?'

'Geen idee.'

'Nee, natuurlijk niet, natuurlijk heb je geen idee. Omdat je zo'n verdomde egoïst bent.'

'Hè, toe nou, schat, rustig. Wat heb je gedaan?'

'Dat zeg ik niet.'

'Pardon?!?'

'Dat zeg ik niet, je hoort me best wel. Trek nou maar gauw een schoon overhemd aan en dan zie ik je morgen wel. Maak me vooral niet wakker als je thuiskomt. En drink niet te veel, want dan word ik wakker van dat gesnurk. Of ga op de bank liggen, wil je dat doen?'

'Ik pieker er niet over.'

'Nee, je zal eens rekening met me houden.'

'Ik bel het wel af, hoor, ik heb al geen zin meer.'

'Dat zou ik niet doen als ik jou was.'

'Waarom niet?'

'Denk nou eens na, man, laat het nou eens tot je doordringen; denk je dat het allemaal weer koek en ei is als je nou gewoon wél thuis bent? Dat zou wel heel makkelijk zijn, hè? Nou, zo makkelijk ben ik niet. Dat wist je misschien niet, maar dat is dan mooi je eigen schuld!'

'Goed, dan ga ik wel.'

'En ik wil je niet in bed hebben als je thuiskomt!'

'Ik neem wel een hotel, nou goed?!?'

'Je doet maar. En morgenavond hoef je ook niet thuis te komen!'

'Draaf je niet een beetje door? Ik ga niet voor mijn lol op stap, hoor.'

'Natuurlijk niet, het is allemaal voor de baas. Haha. Laat me niet lachen. Ik wou dat je eens wat beter nadacht, mannetje.'

'Lieverdje...'

'Ja, wat is er?'
'Waarom doe je nou zo?'
'Ga daar maar eens lekker over nadenken. En als je toch thuiskomt, op de bank, oké? En ik scheer m'n kut nooit meer voor je, lul!'

Weekendje

Het was zaterdagmiddag, vijf uur. Het regende. In de brasserie van het Golden Tulip Hotel in Epe zaten Corry en Gert-Jan. Ze hadden een handig tafeltje uitgekozen: vlak bij de bar én zo dat ze uitzicht hadden op de hal en de receptie. Ze waren de enige gasten in de kale zaak.

Corry was een kleine, brutale brunette, Gert-Jan een lange, zwijgzame man met een snor. Ze kwamen uit Zandvoort en dit was het tweede weekendje in twaalf jaar huwelijk dat ze er even zonder de kinderen tussenuit waren.

Ze hadden er vier.

Zaten bij oma.

Het eerste uitje was trouwens mét de twee kleinste kinderen geweest, een paar jaar geleden naar Parijs, met de bus, zo'n dubbeldekker. Boven zaten de volwassenen, beneden de kinderen met leuke films en een paar meiden die spelletjes organiseerden. Nou ja, je kon op je vingers aftellen hoe dat afliep: na een uur zat iedereen boven met een huilend kind op schoot. Daarna moesten ze heel Eurodisney nog door, hartstikke leuk, maar erg vermoeiend. En duur, dat Parijs, niks aan.

Nu zaten ze hier.

Ze dronken allebei bier; Corry gewoon pils, Gert-Jan witbier. Ze zaten dicht bij elkaar, naast elkaar eigenlijk, Gert-Jan met zijn lange benen gestrekt voor zich uit, Corry voortdurend wiebelend met haar korte beentjes. Naast het kleine bloemstuk op tafel stond een asbak vol peukjes van zorgvuldig gedraaide en zorgvuldig opgerookte shaggies.

Ze hadden bij aankomst fietsen gehuurd en een stukje door het bos gereden, best lekker, maar ze waren bang geweest om te verdwalen. Straks gingen ze lekker uit eten in Epe (Gert-Jan had gebeld met een restaurant), daarna een filmpje pakken op de kamer (de keuze was: *2 Fast 2 Furious*, *Johnny English*, *Blue Crush*, *The Truth About Charlie*) en dan een goeie wip maken, zoals Corry het uitdrukte. Iedere keer als ze eraan dacht, neuriede ze Frans Bauers 'Heb je even voor mij', hoewel ze eigenlijk een fan van Koos Alberts was. Wat Gert-Jan betrof gingen ze ook nog even *skinnydippen* in het grote zwembad achter de receptie.

Er gebeurde genoeg om naar te kijken, verderop in de hal. Voortdurend kwamen er nieuwe gasten binnen; van die zure natuurmensen op wandelschoenen, ouden van dagen, twee yuppiegezinnen met drukke kinderen die meteen over hun kamers begonnen te klagen, een jongen en een meisje die cash betaalden en allebei de helft uit hun portemonnee plukten. Ondertussen bleef het stil in de brasserie. Af en toe moest Gert-Jan opstaan om in de keuken een serveerster te halen die nieuwe biertjes voor hen kon tappen.

Corry en Gert-Jan zaten liever hier dan boven in hun kleine kamertje waar naast de televisie een dienblad stond met een piepklein flesje wijn, een zak gemengde noten en twee flesjes Spa. Er had ook een Bounty gelegen, maar die had Corry na het fietsen opgegeten. Later zag ze op het prijslijstje dat de reep 1,60 kostte. Oplichters waren het hier. Deed je de vitrages opzij, dan zag je druipende, natte dennenbomen en het parkeerterrein.

Corry en Gert-Jan keken elkaar aan. Ze waren al behoorlijk aangeschoten, maar dat kwam ook omdat ze nauwelijks hadden gegeten. Wat zaten ze hier toch lekker, wat waren ze hieraan toe, met z'n tweetjes. Ze glimlachten, verliefd bijna. Corry neuriede Frans Bauer, Gert-Jan wreef tevreden langs zijn snor.

Borstvoeding

'Meid, je ziet er niets van! Had je mij moeten zien,' riep de kwieke blondine toen ze haar vriendin tegen het lijf liep in het Vondelpark. Het was hemelvaartsdag, nog vroeg in de ochtend en stil. 'Wanneer ben je uitgerekend?'

'Eind september,' antwoordde de vriendin en ze legde twee handen op haar buik, die inderdaad nog geen aanstalten maakte.

'Dan al?' De kwieke blondine – aan haar voeten staken grote gympen, die onafhankelijk van het gesprek een dribbelend ritme aanhielden – sloeg de hand voor de mond. 'Wat zie je er dan nog goed uit. Ik had een kont, niet te geloven. Ga je borstvoeding geven?'

'Ik weet het nog niet,' zei de zwangere vriendin, die nu een beetje dromerig in de verte begon te kijken.

'Niet doen, hoor!' zei de ander met klem. 'Ze zuigen je helemaal leeg. Henk zeurt er nu nog over.'

'Henk?'

'Ja. Henk. Ik heb geen tiet meer over.'

Dat was een feit. En zeker in het strakke, maar van zweet natte topje dat de dribbelende kwiekheid droeg.

'Ach,' zei de ander. 'Ik heb toch al niet veel.'

De dames zwegen.

Toen verscheen er een man op rolschaatsen. Hij had een jongetje van een jaar of vier aan de hand, ook op rolschaatsen, knalgele. Het jongetje huilde. Langzaam reden ze op de vrouwen af. Het was meer een soort krabbelen.

'Henk! Je raadt het nooit,' riep de kwieke gymschoen toen de man er bijna was.

'Dit wordt niks,' zei Henk met een onweersblik op het jongetje, 'hij is er nog veel te klein voor.'

Het jongetje huilde.

'Hanneke is zwanger.'

Henk nam Hanneke eens goed op, maar zag niets. Behalve Hanneke, die hij kennelijk een tijd niet gezien had, want zo keek hij. 'Goh. Hanneke. Gefeliciteerd. Hoe lang al?'

'Ze is in september uitgerekend!' riep de vrouw van Henk. 'Moet je kijken hoe goed ze er nog uitziet...'

Iets in haar stem deed vermoeden dat het Henks schuld was geweest dat zijzelf er wat minder goed had uitgezien toen ze zwanger was. Henk kromp in ieder geval zichtbaar. En parkeerde zijn hand op de helm van de zoon, die zich vastklampte aan vaders kniebeschermers.

'Mama, wil jij met me skaten?' snikte het jongetje.

'Nee, Lodewijk, je weet wat we hebben afgesproken. Jij en papa hebben skates en mama heeft vrij op zondagochtend.'

'Maar het is helemaal geen zondag.'

'Jawel, het is wel zondag. De winkels zijn dicht. En mama wil hollen. Dat moet.' Ze keek kwaad naar Henk.

Die naar Hanneke keek.

'Goh. Han, wat leuk,' was de tekst die uit Henk kwam. Er klonk iets van spijt in die woorden. Alsof er ooit meer tussen Hanneke en Henk had plaatsgegrepen dan de dribbelende kwiekheid wist. Of ook wel, want ineens kwam er een soort verlegenheid over de bijeenkomst. Alle betrokkenen hadden daarna tegelijkertijd haast.

'Nou wil papa even voor zichzelf, hoor,' zei Henk tegen zijn zoontje en hij liet hem los. De jongen kon zich ternauwernood vastgrijpen aan zijn moeders been.

'Ik moet gaan,' zei Hanneke en ze kwam in beweging.

'Daag,' zei Henk en met wijdbeense slagen reed hij weg, voor haar uit.

'Denk eraan,' riep de dribbelende kwiekheid haar vriendin na, 'geen borstvoeding! Je houdt er geen tiet van over.'

Bono

'Bono, blijf binnen, het regent,' riep de moeder in het café naar haar kind, dat rondhing bij de deur.

'Ik wil naar huis,' riep Bono terug.

Hij was een klein, blond kereltje van een jaar of acht met zijn handen in zijn broekzakken en kekke Puma's aan zijn voeten.

'We kunnen nu toch niet naar huis,' riep zijn moeder, 'het regent!'

'Het regent helemaal niet erg,' riep Bono terug.

Hij had gelijk. Het regende nauwelijks. Het sputterde een beetje. Het hád natuurlijk wel geregend. De straat was bezaaid met plassen. Het kón ook ieder moment weer hard gaan regenen, de lucht boven de stad was modderbruin, zo gek was het nog niet wat Bono wilde.

Maar zijn moeder was in een schemerige hoek van de zaak in druk gesprek verwikkeld met een jongen die er woest en artistiek uitzag. Ze had bovendien net twee nieuwe drankjes besteld; voor hem bier en voor zichzelf een rosétje.

Bono drentelde hun kant op. Halverwege begon het buiten plotseling te plenzen. De regen roffelde op de daken van langs de stoep geparkeerde auto's, voetgangers zochten dekking in portieken en onder luifels. Een groepje doorweekte studentes stoof gillend het café in.

'Wat moet ik doen, mam?' vroeg Bono.

'Weet ik niet,' zei mam geïrriteerd, 'ga bij het raam zitten en kijk naar buiten, naar de regen.' Ze lachte naar de woeste jongen en nam een slok van haar rosé.

'Dat wil ik niet,' riep Bono, 'die stomme regen. Ik wil naar huis. We hebben ook al niet mijn schoolspullen gekocht vandaag.'

'Omdat het zulk kutweer was Bono, hoe vaak moet ik dat nog zeggen?' De moeder, veel ouder dan dertig was ze niet, wierp de woeste jongen een verontschuldigende blik toe. Ze had het net zo goed niet kunnen doen; hij keek naar buiten.

Het regende nu zo hard dat de overkant van de straat niet meer te zien was. De herrie was oorverdovend. Achter de bar werd de muziek harder gezet.

'Wil je dan een spelletje met me doen?' vroeg Bono. Hij hing tegen het tafeltje van zijn moeder aan, het gezicht vlak bij het hare.

'Je ziet toch dat ik bezig ben,' antwoordde ze vinnig, 'ik zit even te praten.'

'Jij zit altijd te praten,' reageerde Bono prompt. Hij maakte zich los van de tafel en ging op een afstandje kwaad staan kijken.

De moeder schudde haar hoofd. Ze zag er ineens oud en moe uit. Ze keek even schielijk naar de woeste jongen met zijn donkere krullen en blote armen, maar hij nam net heel langzaam een slok van zijn bier en deed alsof hij alleen bij het raam in een café naar de regen zat te kijken.

Man

Diverse media melden dat er een nieuwe man is opgestaan: de metroman.

In het kort komt de metroman hierop neer: hij lakt zijn nagels, hij draagt damesondergoed, hij houdt van winkelen en kent het verschil tussen Prada en Peek & Cloppenburg. Voor het slapengaan leest hij nog even een stukje in *Het dagboek van Bridget Jones*.

Het is wat.

De nieuwe man dook voor het eerst op aan het einde van de jaren zeventig. Hij was toen een rommelig, shagrokend type dat niet echt mee kon komen. Hij had een baard en droeg sandalen, ook 's winters, maar dan met sokken. Eén keer in de week ging hij naar de mannenpraatgroep om met collega's over zijn emoties, zijn vader, zijn geslachtsdeel en zijn ingebakken seksisme te praten. Die bijeenkomsten duurden tot alle thee op was.

De metroman van nu is een heel andere klant. Hij is geen softie, geen watje, geen ei, geen zijden sok, geen homo, geen doetje, geen zuurpruim. Hij rookt ook geen shag, wat je vooruitgang kunt noemen, maar die wordt tenietgedaan door de sandaal – die draagt hij wel.

Hij staat zijn mannetje, de metroman, aldus de berichtgeving, maar hij geeft tegelijkertijd zijn vrouwelijke kanten ruim baan. Om te ontdekken hoe dat voelde, liep ik laatst een dag in het ondergoed van mijn vrouw – nou, dat loopt klote, kan ik melden. Hoe David Beckham het doet is mij een raadsel.

Behalve de metroman is er ook de nieuwe vader. Hij is herkenbaar aan de draagzak op zijn borst waar een klein babyhoofdje uitsteekt, de grote tas op de heup waarin de vers gekolfde melk van moeder zit en een onverklaarbaar blijmoedige blik in de ogen – alsof hij nog nooit zoiets moois heeft meegemaakt.

In tegenstelling tot de metroman is de nieuwe vader wél op grote schaal in het wild waar te nemen, maar dat zegt nog niets; hij kan best 's avonds in mama's laatste Aubade-setje naar een *rerun* van *Sex and the City* zitten te kijken, nadat hij natuurlijk eerst de afwas heeft gedaan. Ook is de kans groot dat hij in zijn schaarse vrije tijd werkt aan een boek over zichzelf.

De nieuwe man.

Of: hoe nieuw ben ik zelf?

Ooit was ik zelf een jonge vader, dat was toen net zo nieuw als het is voor de jonge vaders van nu, maar dat terzijde. Inmiddels zijn mijn meiden op de leeftijd dat ze hun vader de les kunnen lezen. Nog een paar jaar en ze komen met een assertieve metroneger thuis, ja, je houdt je hart vast – wat het duidelijkste teken is van ouder worden.

Je kan daar wisselend over denken, heb ik trouwens ontdekt. Soms is het vervelend, en soms niet. Een nadeel is zonder meer dat je het geduld niet meer hebt voor Bridget Jones. Een voordeel schiet me zo snel niet te binnen, wat op zichzelf misschien wel een voordeel is: lekker zwijgen. Vanaf je veertigste kan dat zonder dat de omgeving zich zorgen over je gaat maken. En dat is eigenlijk waar het om draait.

Zeewolde

Geluk bestaat. Ik zag het in Zeewolde, geen plaats die je er onmiddellijk mee associeert, maar toch wonen er mensen.

Zeewolde.

Aan de rand van de Flevopolder, dichter bij Nijkerk en Ermelo dan bij Almere en Lelystad – aan de oevers van het Flevomeer. Aan de overkant daarvan ligt het strand van Nulde met het bijbehorende, macabere verhaal over het dode meisje en het geboetseerde hoofd.

Tsja.

Zeewolde heeft als kern een haven waar moderne bebouwing knus omheen ligt gevouwen. In plaats van een kade is er een groot plein dat begrensd wordt door het gemeentehuis, een kolossaal en onbegrijpelijk lelijk gebouw. Ernaast ligt de brandweerkazerne.

Verder bevinden zich aan het plein: een dameskapsalon, een slijterij, een opticien, wat leegstaande winkelpanden en een congrescentrum dat in Frankrijk een 'salle polyvalente' zou worden genoemd.

Hoeveel pleinen liggen er in Nederland aan een haven? Ik ken er niet veel, sterker: dit was het eerste plein dat ik zo zag liggen. Tegelijkertijd: zelden zo'n levenloos plein gezien – een dood plein, aan een haven waar trouwens ook maar weinig in gebeurde.

Terug naar het geluk.

Het speelde zich af op De Ree, een straat aan het einde van de haven. Op een keurig geschoren gazon werd een huwelijksreportage gemaakt. Zoiets mag ik graag zien: een bruid in het wit, met ferme, blote schouders, een lange sleep en heel veel haar dat in kunstige slierten hoog op het hoofd is getast, een bruidegom met een dun snorretje, een iets te groot donker pak en van dat Doekle Terpstra-haar; korte pieken die stijf staan van de gel, een uitgeschoren nekje.

Maar ze gingen ervoor, voor hun geluk, dit jonge bruidspaar dat nauwelijks van elkaar af kon blijven. Er was ook al een baby, onder oma's hoede in een karretje – een kind uit een vorige verbintenis, of toch een baby van hen beiden? Het was niet te zien. Wel was er veel verliefdheid in beeld, met op de achtergrond het kabbelende water van het Flevomeer, de lucht die dreigend was.

Het meest frappante was dat de jonge echtelieden elkaar in leeftijd niet veel ontliepen, maar dat de vrouw, het meisje nog, er al helemaal volwassen uitzag, en de bruidegom nog lang niet; hij was nog echt een jongen. Zo keek hij ook naar zijn vrouw: met bewondering, ontzag, ja zelfs een beetje angst. Vandaag was de dag dat hij haar voor het eerst als vrouw zag, misschien leek hij daarom zo klein, breekbaar en kinderlijk.

Maar ze straalden!

Na de foto's verplaatste het bruidspaar zich naar het partyschip, dat lag aangemeerd bij het plein voor het gemeentehuis. Daar werden nog wat meer foto's gemaakt, op de voorplecht, bij de loopplank, op het dek – dat werk.

In de salon van het schip zat een dertigtal gasten, allen met een oranje corsage op. Ze wachtten geduldig tot het bruidspaar binnenkwam en zich in hun midden voegde. Erg levendig ging het er niet aan toe.

De dochter van de kapitein hielp intussen haar vader met het losgooien van de trossen, en even later voer het schip de haven uit, nog meer geluk tegemoet, en daarna het echte leven in Zeewolde.

Paco

Edwin de Roy van Zuydewijn eiste per kort geding een omgangsregeling met de hond die hij en Margarita jaren deelden, Paco. Dat was toch wel een voorbeeld van schallende eenzaamheid.

Paco raakte eind 2003 in Frankrijk gewond bij een inbraakpoging in het kasteeltje van Edwin en Margarita. Zij woonde daar op dat moment al lang niet meer, maar hij nog wel – met de hond die dus gewond was; we weten niet waaraan, en hoe ernstig.

Edwin belde Margarita.

Het is niet moeilijk om je voor te stellen dat Edwin onbewust hoopte dat de gewonde hond hen weer een beetje nader tot elkaar zou brengen, dat is tenslotte een van de redenen waarom mensen honden hebben: het dier schept een band.

Margarita reisde spoorslags af naar Frankrijk, maar in plaats van huilend neer te zijgen bij de zieke Paco, en zich door Edwin te laten troosten, met alle gevolgen van dien, gedroeg ze zich kordaat. Ze laadde de hond in haar Peugeotje en maakte zich weer uit de voeten, terug naar Nederland.

Paco genas.

Edwin vereenzaamde. Regelmatig belde hij met Margarita, een paar keer slaagde hij erin naar Amsterdam te komen – erg fijne bezoekjes waren dat niet; in de kroegen waar hij kwam, maakte hij ruzie, en als hij over straat liep, moest hij soms de gekste capriolen uithalen om de fotografen van de roddelbladen van zich af te schudden. Terug naar Frankrijk dan maar weer, staart tussen de benen.

En zonder Paco.

Een man alleen zonder zijn hond is nog deerniswekkender dan een man alleen die nooit een hond heeft gehad. Bij iedere stap die hij doet, ontbreekt de hond in zijn voetspoor. Als hij 's avonds zijn koude botten bij het haardvuur probeert te warmen, mist hij de hond, om van de eenzame nachten in de bedstee nog maar te zwijgen. De siddering die door een slapende hond gaat als hij een of andere hondendroom droomt, een man kan daar week van worden, zoals hij ook een kameraadschappelijk zwak heeft voor de hondenruft, een wonderlijk fenomeen.

Edwin heeft beslist overwogen een andere hond te nemen. Maar daar kleefden toch bezwaren aan. Om te beginnen: wat zou Paco daarvan vinden? En belangrijker: Paco is van hem en Margarita samen, als hij een nieuwe hond zou nemen, zou zij dat wel eens als een definitief afscheid kunnen opvatten. Waarmee we zijn aangeland bij de kern van de zaak: Paco is Edwins laatste, flinterdunne lijntje met het glamoureuze, prinsheerlijke Oranjeleven dat hem ooit voor ogen stond, de hond is zijn laatste strohalm.

Arme Paco.

Het is niet duidelijk hoe het met hem gaat en wat hij allemaal heeft doorstaan. Hij is maar een hond, het onderwerp van ruwe grappen, en deskundigen die verklaren dat hij in een scheiding vergelijkbaar is met een piano, of een vaas. De advocaat van Edwin heeft gezegd dat het dier recht heeft op zijn privacy – voorlopig zal hij niet met Martin Gaus op televisie verschijnen. Hij woont nu in de Amsterdamse Pijp, en schijt 's avonds op een pleintje waar niet zo lang geleden een dakloze vrouw door Marokkaanse jongens werd doodgeschopt omdat ze in de supermarkt waar de heren werkten een blik hondenvoer zou hebben gejat. Paco weet van dit alles niets, hij mist alleen zijn baas.

Zondagochtend

Ze werd om halfzes wakker van de kleine. Het was zondagochtend. Ze nam het kind bij haar in bed. Ze was doodmoe.

Hij was acht maanden en klaarwakker. Ze gaf hem sinds drie maanden geen borstvoeding meer, maar haar borsten schoten nog steeds makkelijk toe. Het kind trappelde enthousiast.

Ze dwarrelde heen en weer tussen slapen en waken. Ze had heel scherpe dromen, of flitsen daarvan. Ze gingen allemaal over hetzelfde.

Niemand nam haar serieus.

Ze stond overal alleen voor.

Ze zocht met iedereen ruzie.

Af en toe was de kleine rustig, maar dan begon het brabbelen weer. Ze stond op om zijn speen te zoeken. Ze wankelde door het kleine appartement. Buiten scheen de zon uitbundig.

De speen hielp niet.

Ze zag op de wekker dat het inmiddels tien voor zes was. Nog uren voor de zondag op gang kwam. Ze werd er bang van.

Een halfuur later begon hij te huilen. Ze stond op. Ze liet het kind in het grote bed liggen.

Mijn mannetje, dacht ze schamper.

In de keuken maakte ze in de magnetron een bord pap klaar. Ze zocht een schone slab en zette voor zichzelf een kop thee. De deuren naar het balkon deed ze open. De zomer dreef de keuken binnen.

Ze haalde het huilende kind en pootte hem in de kinderstoel. Het eerste hapje pap nam ze zelf, en op het tweede blies ze tot het de juiste temperatuur had. Het kind had zijn mond al open en ze schoof de hap naar binnen. Ze glimlachte en draaide zich om om haar thee te pakken. De kleine sloeg op dat moment met twee vuisten in het bord pap, dat prompt van tafel danste.

Alles onder de pap.

Tien voor zeven.

Ze maakte een nieuw bord pap. De kleine keek glunderend toe. Ze voerde het hem snel, tot hij helemaal vol zat. Daarna tilde ze hem uit de stoel en trok ze hem zijn T-shirtje en luier uit. Met een natte tissue veegde ze pap van hem af en ze liet hem los in de kamer. Ze ruimde de keuken op. Om kwart over zeven was ze klaar en zette ze de douche aan.

Iets voor achten belde ze haar moeder. Het werd een prachtige dag, riep ze uit, zou ze gezellig de hele dag met de kleine komen? Haar moeder zei geen nee, die zei nooit nee. Het was haar vader die ze soms liever niet aan de telefoon had.

Halfnegen had ze alles gepakt.

Fruithapjes, een warm hapje, slabben, luiers, water, een set schone kleren, de wandelwagen, het parasolletje, knuffels, spenen, een bal, zonnebrandcrème, een petje.

Ze zeulde de spullen en haar zoon de twee steile trappen af. Hij was nu al bijna te zwaar. Maar voor de verandering vergat ze haar sleutels eens niet. De auto stond om de hoek aan de waterkant. Het was een oude Toyota Starlet. Verderop zat een man te vissen.

Ze maakte de auto open en tilde het kind in het zitje op de achterbank. Ze maakte de riemen vast. Hij begon te huilen. Ze laadde haar spullen in de achterbak en stapte toen zelf in. Achter het stuur voelde ze weer hoe ontzettend moe ze was. Haar jurk plakte aan haar rug. Ze startte de auto en reed weg.

Cementmolen

'Wat heb je nou weer gekocht?!?' kraaide een Nederlandse vrouwenstem hard over het stille Franse dorpsplein.

'Dat zie je toch,' luidde het korzelige antwoord van een man, 'een cementmolen.'

De vrouw zat op het terras van een café, en de man in een donkerblauwe Jeep Grand Cherokee, het raampje open, een arm nonchalant buitenboord. Achter de auto hing een splinternieuwe, knalrode cementmolen.

'En wat ga je daarmee doen?' vroeg de vrouw fel. 'Sinds wanneer kan jij metselen?'

De man stapte uit de auto en liep naar de cementmolen. 'Mooi is ie, hè; weet je hoeveel zo'n ding kost?'

'Geen idee,' zei de vrouw kortaf.

'Tweehonderdveertig euro. Dat is toch niks! Vijfhonderd gulden voor zo'n mooie machine.' Hij schopte liefdevol tegen een van de kleine rubberbanden onder de molen.

'Weggegooid geld,' zei de vrouw.

De man haalde zijn schouders op. 'Ik ga metselen,' zei hij, 'dat muurtje, weet je wel, dat ga ik zelf doen. Daar heb ik nou echt zin in.'

'Jaja,' mompelde de vrouw.

De man ging naast haar zitten. 'Waar zijn de kinderen eigenlijk?' vroeg hij na een tijdje. Hij keek om zich heen. Een jaar of veertig, donkere krullen, grijs aan de slapen.

'Weet ik niet,' antwoordde de vrouw, 'spelen.'

De serveerster van het café kwam buiten en keek vol bewondering naar de cementmolen.

'Wil je nog koffie, schat?' vroeg de man.

'Ach ja,' zei de vrouw.

De man bestelde koffie en de serveerster verdween weer.

'Zag je hoe ze keek?' vroeg de man.

'Weet je,' zei de vrouw, 'ik heb liever dat je wat meer aandacht aan de kinderen besteedt dan aan cementmolens en serveersters. Ik werk me hier uit de naad en jij doet maar waar je zin in hebt.'

'We hebben vakantie,' zei de man slap.

'Jíj hebt vakantie,' bitste de vrouw, 'jij doet waar je zin in hebt, en ik mag de rest doen.'

Twee kinderen verschenen aan de overkant van het plein. Een van de twee, een meisje met vlechten, huilde. Een jongetje zwaaide met een stok.

'Wat heeft die rotjongen toch?' De man stond op. Hij was kwaad.

'Doe er wat aan, zou ik zeggen,' antwoordde de vrouw en ze sloeg vastbesloten *De Telegraaf* open.

'Richard, hou daarmee op!' riep de man over het pleintje. 'Kom hier, jongens!'

De kinderen staken over.

'Ze zegt dat ik debiel ben,' zei Richard toen hij op het terras was. Ouder dan acht kon hij niet zijn. Hij plofte naast zijn moeder op een stoel.

'Is dat zo, Annemarie?' vroeg de man aan het huilende meisje.

'Hij liegt, pap. Hij liegt altijd,' snikte Annemarie en ze ging aan de andere kant van haar moeder zitten.

'Ik wil cola,' zei Richard.

'Ik ook,' zei Annemarie.

Hun moeder liet dreigend haar krant zakken.

'Hé pap, wat heb je nou weer gekocht?' vroeg toen ineens Annemarie. Ze klonk precies als haar moeder en pap leek te krimpen. Hij keek hoopvol naar zijn zoon, maar die keek de andere kant op. De prachtige, rode cementmolen achter de grote Jeep had iets heel treurigs.

Tapijt

Nico is zesenvijftig, wat je noemt een charmante man. Hij is twee jaar geleden met werken gestopt, hij heeft zijn schaapjes op het droge.

Zijn droom was altijd het platteland, meer in het bijzonder: de streek rond Ootmarsum en Tubbergen, Twente. Daar kwam hij vandaan en daar wilde hij naar terug. Toen hij stopte met werken, kocht hij daar in de buurt een prachtige boerderij.

Yvette is Nico's tweede vrouw, een stuk jonger dan hij. Bij zijn eerste vrouw heeft hij een zoon van eenentwintig die met een rugzak de wereld rondreist. Bij Yvette twee kleine kinderen, een jongen en een meisje, acht en zes. Hij is er hartstikke gek mee.

Yvette zag ertegen op naar Twente te verhuizen, maar uiteindelijk had Nico haar weten te overtuigen. Hij zou zo veel mogelijk tijd in de kinderen steken, zij kon haar eigen dingen doen. In de schuur zouden ze een complete studio voor haar bouwen. Yvette zat in het webdesign. Voor haar eerste verjaardag op het land gaf Nico haar zo'n leuk, klein BMW'tje. Kon ze makkelijk op en neer naar haar vriendinnen in de Randstad.

De kinderen aardden goed.

Tot ieders verbazing, eigenlijk.

Nico tuinierde, hij knutselde, hij las Flaubert, hij sloeg eens een balletje golf, hij plande de bouw van een paardenstal, kocht een oude Harley-Davidson en liet zijn haar groeien tot het in een kleine paardenstaart kon. Het viel hem niet op dat zijn vrouw steeds zwijgzamer werd. Of hij vond het wel prettig.

Op een dag, het was herfst, maakte hij een lange wandeling. Ook zoiets wat hij nooit deed toen hij nog in Amsterdam woonde. Yvette was naar Enschede om boodschappen te doen. Ze was na de koffie vertrokken.

Halverwege sloeg Nico een rul zandpad in. Het liep langs de boerderij van ene Bennie, die Nico nog nooit had gezien, maar die volgens de plaatselijke bevolking een rare was, een gozer van een jaar of dertig die volhardde in het boeren en met niemand omging. Op het erf stond precies zo'n BMW'tje als Yvette had, dezelfde kleur zelfs, maar niets in Nico sloeg alarm.

Heel apart, toch wel.

Toen hij vlakbij was, het pad liep verderop het bos in en voerde via een lange lus naar de achtertuin van zijn eigen huis, kwam net zijn vrouw te voorschijn. Dat registreerde Nico wel, maar hij bleef doorlopen, langzamer, dat wel. De man die Bennie moest zijn had een arm om Yvettes middel geslagen. Ze lachte en de man zoende haar. Het was duidelijk dat het niet de eerste keer was dat hij dat deed. Yvette sloeg haar armen om zijn hals. En op dat moment pas zag ze haar man op het pad een bocht omslaan. Ze maakte zich los van Bennie en holde naar haar auto.

's Avonds hadden ze ruzie. Het speelde al een tijdje met Bennie, biechtte Yvette op. Ze kon er niets aan doen. Het zou wel overgaan, hoopte ze. Meer troost kon ze haar man niet bieden. Ze moest eerlijk zijn, zei ze, en het was hard.

Nico huilde die avond voor het eerst sinds de dood van zijn moeder vijfentwintig jaar geleden. Het tapijt van zijn leven was onder hem weggetrokken.

Doos

'Weet je wat jij moet doen?'
'Nou?'
'In de poep zakken.'
'Ooh.'
'Waarom lach je nou zo stom?'
'Ik dacht al dat je zoiets zou gaan zeggen. Sorry.'
'Je moet niet altijd sorry zeggen. Ik word daar gek van. Het is heel normaal om ruzie te maken.'
'Ik hou er niet van.'
'Dacht je dat ik er wel van hield?'
'Ja.'
'Wat ben je toch een zak. Jezus.'
'Ik kan het aan je zien, weet je dat...'
'Wat?'
'Als je ruzie wilt zoeken.'
'En dan denk je: ik zeg maar snel sorry en dan ben ik ervan af? Dat vind ik zo goedkoop, weet je dat! Daar word ik pas kwaad van.'
'Je was al kwaad.'
'Ik was godverdomme helemaal niet kwaad. Nu wel trouwens.'

'Je was het al.'
'Ik was het niet!'
'Waarom moest ik dan in de poep zakken?'
'Omdat je soms zo'n eikel bent.'
'Vertel me nou eens wat ik verkeerd heb gedaan. Dat is toch niet te veel gevraagd?'
'Nee.'
'Wat nou nee? Weet je wel hoe kinderachtig je bent...'
'Nou krijgen we die. Nou is het vrouwtje ineens kinderachtig. Jezus. Mannen ook...'
'Wees blij dat ik geen vrouw ben.'
'Haha. Meneer is leuk.'
'Ik ben helemaal niet leuk. Ik ben een eikel. Dat zeg je net zelf.'
'Goed. Wij gaan uit eten. Leuk. Gezellig. Ik trek een mooi jurkje aan. Ik denk: laat ik eens sexy doen. Ik kijk je de hele avond zwoel aan. Ik ben helemaal scheel van het door die stomme kaars heen kijken. Ik zit met mijn voet aan je been. En jij reageert nergens op! Je lult alleen maar over die vervelende Geurtsma.'
'Geertsema.'
'Geertesma dan.'
'Die man is mijn baas, schat. En ik heb helemaal niet de hele avond over hem zitten lullen.'
'Ooh nee? Hoe komt het dan dat ik het gevoel heb dat ik ineens alles van ene Geurtsema weet? Jacques heet ie toch?'
'Jacques, ja. Geertsema.'
'Ik heb me rot verveeld! En als klap op de vuurpijl begin jij bij het afrekenen te flirten met die stomme doos...'
'Het is geen stomme doos.'
'Ooh nee? Omdat ze toevallig een restaurant heeft kan het zeker geen domme doos zijn? Nou jongen, die zaak zit

alleen maar vol omdat al die kerels zich 's middags bij de lunch laten inpakken door die trut en dan 's avonds met hun vrouw nog een keer komen omdat ze denken dat het een goeie tent is. Hoe die met d'r kont door de zaak loopt te draaien. Man, man, je denkt echt met je lul, hoor. En als je lul nou aan mij dacht...'

'Schatje, toe...'

'Wat nou "schatje"? Nou voel je je schuldig, hè. Goed zo. Eikel.'

'Sorry, hoor.'

'Hou daarmee op!!! Sorry, sorry. Me reet. Straks ga je zeggen dat ik zo mooi ben als ik kwaad ben. Wedden?'

Lul

Een man en een vrouw waren getrouwd, nog niet zo lang. Ze waren allebei vroeg in de dertig, en wilden nog geen kinderen. Eerst geld verdienen, carrière maken, een huis kopen – dat was het idee.

Niets mis mee.

Dus beiden werkten en werkten en ze zagen elkaar zelden, hoewel ze wel regelmatig uitbundige weekendjes hadden, in Parijs of Londen of Antwerpen of Rotterdam.

Het was tijdens zo'n weekendje dat de vrouw, terwijl de man in de badkamer bezig was, zijn telefoon hoorde bliepen. Omdat het toestel op tafel lag, naast zijn sleutelbos en zonnebril, en omdat zij daar niet ver vandaan wat in de uitgaansagenda voor die avond zat te bladeren, keek ze wat het bliepen betekende. Er was een bericht voor hem binnengekomen.

LEZEN? vroegen de letters op het display.

En ach, hij stond toch in de badkamer. Ze drukte op YES.

HOU VAN JE. BEL ME.

Dat stond er ineens in het display.

De vrouw drukte nog een keer op YES en kreeg toen

het 06-nummer dat de boodschap had verstuurd. Ze schreef het op de rand van de krant, opmerkelijk koelbloedig zou ze dat later vinden, en drukte toen op de *clear*-toets, zodat de naam van de provider (Libertel) weer in beeld verscheen, met daaronder plagerig het kleine envelopje van binnengekomen post. Pas toen begon ze te trillen.

Was het van woede?

Was het van angst?

Langzaam stond ze op en liep ze naar de badkamer waar haar man zich nog steeds bij de kletterende kraan stond te scheren. Ze zag dat hij een dikke puist op zijn rug had. Ze wist dat hij haar bedroog. Vanwege de puist maakte het ineens weinig uit.

'Je hebt een bericht op je mobiele,' zei ze.

Hij draaide zich om.

Maar hij draaide zich niet zomaar om, nee, hij vloog om zijn as en keek haar in volle paniek aan. 'Ooh,' zei hij toen, zo droog mogelijk – wat nog niet meeviel omdat hij zo geschrokken was.

Toch bewonderde ze hem even.

'Ze houdt van je,' zei ze toen. Het was eruit voor ze er erg in had. Het klonk geweldig.

'Jezus,' zei hij.

'Hoe heet ze?' vroeg ze.

'Waar heb je het over?' Hij duwde haar aan de kant en liep naar zijn spullen. Hij pakte de telefoon, drukte op wat toetsen en zag toen de boodschap die zijn vrouw hem zojuist had verteld. Hij keek er net te lang naar, vond ze.

Ze lachte.

Toen kwam het; hij begon te ontkennen. Geen idee wie hem zo'n bericht stuurde. Vast iemand die het verkeerde nummer had ingetoetst. Hij kreeg de laatste tijd wel vaker berichten die niet voor hem waren.

'Bel dan het nummer waar ze vandaan komen,' zei ze.

'Staat er niet bij,' loog hij.

Weer lachte ze.

'Ik heb het voor je opgeschreven,' zei ze toen en ze wapperde met de krant. Terwijl ze het nummer cijfer voor cijfer en plagerig langzaam begon voor te lezen, zakte hij weg in een stoel.

'Oké,' zei hij toen ze klaar was.

'Hoe heet ze?' vroeg ze opnieuw.

'Natascha,' zei hij zacht.

'Ik ga haar bellen,' zei ze, 'dat kutwijf. Wat denkt ze wel niet?'

Hij wilde iets zeggen, maar de woorden bleven hangen. Er kwam niks. Hij keek onnozel naar de grond. Hij kreunde.

'Lul,' zei zijn vrouw.

Hij zei niets terug. Hij dacht aan Natascha, die hij nu niet meer zou zien en die hem óók een lul zou vinden.

Straks

'Gaan we nou vliegeren?' vroeg het zesjarige mannetje op het strand van Bloemendaal aan zijn vader.

Vader – het rusteloze type, gsm in de ene hand, pakje sigaretten in de andere – zuchtte en keek vanaf zijn kleine paarse handdoek om zich heen. Het was verschrikkelijk druk op het strand.

'Zo meteen,' zei hij. Je kon zien dat hij nu al niet wist wat hij zo meteen zou gaan zeggen. Hij veegde met de rug van zijn hand het zweet van zijn voorhoofd en keek op zijn horloge. Het was kwart over twaalf.

'Ik wil nou vliegeren,' zei het mannetje, 'mama heeft gezegd dat je met me ging vliegeren. Ruud vindt vliegeren ook heel leuk.'

'Papa is Ruud niet.'

Het jongetje keek zijn vader aan.

'Ik wil een ijsje,' zei hij.

'Zo meteen,' antwoordde zijn vader. 'Ga nou eerst lekker een kasteel maken. Kijk, die kinderen daar...' Hij wees naar drie meisjes die een kanaal hadden gegraven. Af en toe, als een golf lang uitrolde, liep de geul schuimend vol.

'Dat zijn meiden,' zei het mannetje.

'Nou en?' vroeg zijn vader.

'Ruud gaat altijd met mij kuilen graven,' sprak het jongetje. Hij stond wijdbeens en keek op zijn vader neer. 'Jij wil alleen maar zitten.'

De vader kwam overeind. Toen hij stond, leek het hem te duizelen. De zon was ontzettend heet. 'Kom op, dan gaan we,' zei hij, 'wat zullen we gaan maken?'

'Ik wil eerst een ijsje,' antwoordde de kleine man.

'Godverdomme,' was vaders reactie.

Het mannetje begon te huilen. Zijn roze schoudertjes schokten ervan. Vanavond als hij thuis in bed lag, zou hij pas voelen hoe verbrand hij was en zijn moeder zou boos met zijn vader bellen.

'Hè, toe nou, Patrick,' suste de vader terwijl hij door de knieën ging om het jongetje te troosten, 'we gaan zo meteen een ijsje eten, oké?'

'Jij zegt altijd zo meteen,' snotterde Patrick.

'Dat zei je moeder ook,' liet de vader zich ontvallen. Hij hield het jongetje nu met twee handen vast. Het liefst had hij hem tegen zich aan gedrukt. 'Kom op, Pat, zullen we de zee in?'

'Mama zegt dat ik niet zonder bandjes mag zwemmen.' Het jongetje wreef met zijn handen zijn tranen weg.

'Ach joh,' zei de vader – hij klonk als een man die met zijn zoon ging samenspannen tegen mama.

'En jij hebt de bandjes in de auto laten liggen,' onderbrak Patrick deze klassieker.

'Zullen we ze samen halen? Dan eten we boven op het terras een ijsje...'

Het jongetje keek naar de duinen. 'Ik wil vliegeren,' zei hij.

'Hè toe, Patrick, dan gaan we daarna vliegeren,' zei zijn vader, die hem inmiddels bij de arm had en op het punt stond de lange weg naar de auto te ondernemen.

'Ik wil nu vliegeren!' schreeuwde Patrick en hij trok zich los. 'Niet straks! Niet zo meteen!' Hij stampte woest in het warme zand.

De vader plofte neer op zijn kleine, paarse handdoek. Zweet gutste langs zijn wangen en zijn ogen stonden wanhopig. Zijn zoontje keek wreed op hem neer.

Republiek

‘Wat ik heel erg merk,’ zei het meisje in de zwarte bikini tegen haar vriendin, die háár bikini nog even geheim hield onder een kort jurkje, ‘is dat ik mezelf zo ontzettend tekort heb gedaan, weet je wel; ik ben dol op het strand, en dol op dansen, maar dat deed ik allemaal niet meer.’ Ze legde haar voeten op het tafeltje, naast de grote asbak. Om haar enkel droeg ze een kettinkje van blauwe steentjes en om haar grote teen een dik verband.

‘Je zat toen in een andere fase van je leven,’ antwoordde de vriendin in het jurkje, ‘dat is heel gewoon. Jullie waren een gezinnetje aan het stichten.’

‘Zeg dat wel,’ verzuchtte de zwarte bikini.

‘Nou ja, daar was je toen gelukkig mee, toch? Of heb je d’r helemaal spijt van?’

‘Spijt, spijt, nee. “Wat doe je toch de hele dag op het strand?” vraagt m’n moeder steeds. Nou, genieten. Zand, zon, zee, vakantie, rust. Het voelt als therapie. Iedere keer zegt ze dan: “Ooh ja, op die manier.” Maar de volgende dag moet ik het wéér uitleggen.’ Ze lachte. ‘Ik voel me hier zo tof.’

Hier was De Republiek, een strandtent op Bloemendaal

waar Jan Peter Balkenende beslist nooit een werkbezoek aan zal brengen. Jammer, want hij mist wat – en niet alleen kleine, zwarte bikini's en gespierde jongens met lange, blonde paardenstaarten.

'Ik ben echt blij voor je, weet je dat,' sprak de vrouw in het jurkje – net als haar vriendin had ze een onvervalste, wat harde Noord-Hollandse tongval, van die meiden in de bloei van hun leven, maar met als grote droom een man en een eigen huis in Schagen.

'Uhuh,' zei de ander. 'Ergens houdt het op, hè. Je kunt er eindeloos energie in steken, maar nu heb ik geen zin meer in die eikel. Het brandt op m'n netvlies joh, altijd dat zuipen maar.'

'Zeg,' zei het jurkje, 'wat is er eigenlijk met je teen?'

De ander wapperde even met haar voet en de ingezwachtelde teen. 'Ik heb gister, nee, eergister, m'n voet gestoten en gisteravond bij het dansen trapte een van die motorgasten d'r op met z'n laars.'

'Lekker zeg.'

'Ja, en maar zwaaien met die extra helm, of ik met hem mee uit rijden wou. Nou, ik heb niks met motoren. M'n ex was er ook zo gek van.' Het was voor het eerst dat ze het woordje 'ex' gebruikte. Het kwam er heerlijk uit, soepel en vanzelfsprekend. 'M'n ex gaf meer om z'n motor dan om mij.' Ze lachte. Het was niet waar natuurlijk, ze zei het alleen maar om nog een keer 'ex' te kunnen zeggen.

'Dat kon die gozer van gister niet weten natuurlijk,' zei het jurkje lachend.

'Nee. Die zag alleen maar single en alleen en vrij als een vogel voor zich. Iedereen heeft het in de gaten, weet je dat? Ook zo gek. Alsof het op m'n voorhoofd staat.' Het meisje zweeg en keek naar de lucht die grijs was. 'Van mij hoeft de zon niet eens te schijnen, zo lekker voel ik me hier,' zei ze toen.

'Ik ook,' zei de ander en ze trok haar jurkje uit. Eronder droeg ze net zo'n klein zwart bikinietje als haar vriendin.

Zilveruitjes

Ze werd wakker van de zon. Vannacht de gordijnen vergeten. Kut. Ze draaide zich nog een keer om. Ze hoorde de vogels buiten. Wat een herrie. Ze probeerde zich te herinneren hoe laat ze was thuisgekomen. Drie uur? Halfvier? Ze had haar bh nog aan, die deed ze anders toch uit als ze ging slapen. Ze voelde zich beroerd. Ze had geen zin om op te staan. Maar eigenlijk zou ze de gordijnen dicht moeten doen.

Ze stond moeizaam op. Ze had ook haar sokken nog aan. Met sokken aan slaap je onrustig, had ze van haar moeder geleerd. Ze trok ze uit. Ze moest plassen en ze wilde haar handen wassen. Een vreemde combinatie. Met vieze handen sliep ze ook nooit lekker. Ze rook er even aan. Getver. Ze wankelde naar de badkamer en zette de kraan open. Meteen moest ze nog harder plassen. Ze waste haar handen.

Ze moest de trap af voor de wc. Halverwege lag het bloesje dat ze gisteravond had aangehad. Ze liet het liggen. Ze ging op de wc zitten en daarna voelde ze zich iets beter – en leeg. Haar maag knorde. Ze haalde diep adem. Al zittend kon ze net bij het kleine raampje. Ze zette het open. Nog meer van die stomme vogels. Ze kreeg meteen hoofdpijn. Nog een geluk dat de deur van de wc openstond. Het vogellawaai kon zo in ieder geval wegkomen. Stel je voor dat het in de beklemming van de kleine ruimte om haar heen zou blijven hangen. Dan zou ze helemaal gek worden. Ze trok door.

Ze liep de trap af. Ze hield zich goed vast aan de leuning. Ineens voelde ze iets onder haar voet. Het was rond en nat, zo groot als een knikker. Ze schrok ervan. Het was een zilveruitje.

Ze plukte het onder haar voet vandaan en hield het tussen duim en wijsvinger vast. Ze keek ernaar. Er was niets aan te zien. Een oud zilveruitje. Een trede lager zag ze er nog eentje liggen, en drie treden verder lagen er twee naast elkaar in een natte vlek. Ze liet ze liggen. In de gang kwam ze er nog meer tegen, een heel spoor van uitjes. Ze zou willen dat haar te binnen schoot wat ze vannacht gedaan had toen ze thuiskwam, maar dat gebeurde niet.

Ze kwam in de keuken. De zilveruitjes stonden in de koelkast. Er lag er eentje op de grond bij de koelkast. Ze trok hem open. De zilveruitjes had ze altijd in de deur staan, boven de eieren. Als ze al zilveruitjes in huis had natuurlijk, want waar had je die nou voor nodig? Ze at maar zelden zilveruitjes.

Ze waren er niet.

Ze keek nog wat rond in de koelkast, achter de sla en sinaasappels, tussen de melk en yoghurt, maar ze vond de glazen pot met zilveruitjes niet. Ze sloeg de koelkast dicht. Ze leunde op het aanrecht. Bij de drempel van de keukendeur lagen ook twee zilveruitjes. Buiten op straat klonk geschreeuw. Een auto trok met piepende banden op. Ineens zag ze zichzelf vannacht thuiskomen. Ze had te veel gedronken, en te veel gepraat. Ze was gammel. Ze had honger gehad en in de koelkast gekeken. Bij het opentrekken van de deur was ze uitgegleden en gevallen. Ze was overeind gekrabbeld, had haar schoenen uitgeschopt en in de koelkast naar iets te eten gezocht. Met de pot zilveruitjes in haar hand had ze een tijdje tegen het aanrecht gestaan. Ze had er een paar opgegeten. Toen was ze naar boven gegaan, naar bed.

Met de pot dus.

Ze zag het deksel op het aanrecht liggen. Naast de prullenbak lagen haar schoenen. Ze liep terug naar de trap en liep langzaam naar boven, achter de zilveruitjes aan. Ze raapte ze niet op. In de slaapkamer vond ze de lege pot onder het bed. Ze opende het raam en leunde naar buiten. De zon deed zeer aan haar ogen. Misschien was ze wel zwanger.

Maar: van wie?

Huwelijk

Sommige mensen gaan er 's avonds speciaal voor op pad om bij anderen naar binnen te kijken. Dat heeft met nieuwsgierigheid te maken, en met de behoefte aan troost. Andermans geluk kan bovendien tot voorbeeld strekken.

Helaas is Nederland een land van gordijnen, maar soms heb je toch geluk. Zo trof ik laatst een echtpaar in het decor van hun schaars verlichte woonkamer. Ze zaten erbij alsof ze al jaren iedere avond dezelfde voorstelling speelden.

De man zat in een hoek van de kamer achter een computer, een oude MS-DOS-machine die een groenig licht gaf. Hij staarde in gedachten verzonken naar de enkele woorden die hij had opgetikt. Hij droeg een grote bril. Zijn gezicht was knoestig, de neus prominent. Hij was een jaar of vijfenvijftig.

Het groene schijnsel leek hem te betoveren. Zijn handen lagen roerloos aan weerszijden van het toetsenbord, zo rustig dat het leek alsof hij ze had opgeruimd. Een man die van orde hield, alles aan kant in het schuurtje achter het huis, iedere zaterdag klopt hij de vloermatten van de auto uit. Op het leren bankstel verderop lag een opengeslagen puzzelboek, op de met tegels ingelegde salontafel stond een beker waar een lepeltje uitstak.

Zijn vrouw zat aan de eettafel over de naaimachine gebogen. Waar zie je dat nog? Het was nog een Singer ook. De machine had een klein, warm lichtje, naast de naald die flitsend op en neer ging.

Mevrouw had een grote berg donkerrode stof op schoot die als water tussen haar handen liep, onder de naald door. Een lok van haar grijze haar hing slordig over haar voorhoofd, af en toe blies ze hem weg, dan wiebelde hij even. Jammer dat het geluid van de naaimachine niet te horen was, en haar voet op het pedaal onder tafel onzichtbaar bleef. Aan de lampenkap boven haar hoofd hingen vrolijke kwastjes.

Enfin.

Daar zaten ze, man en vrouw – vredig tezaam. De een verdiept in een handjevol woorden, de ander in actie. De televisie, groot en machtig, stond er donker bij in zijn eigen hoek. Zo'n groot apparaat dat niet aanstaat heeft iets eenzaams. Net goed, eigen schuld. Op de schoorsteenmantel, waar overigens geen kachel bij hoorde, het huis werd centraal verwarmd, stonden foto's, trouwfoto's van de kinderen, kleinkinderen, overleden huisdieren, alles in glinsterende lijsten. Naast de deur naar de gang hing een oude klok.

Het was al met al een ouderwets beeld, dit schitterend ingekaderde huwelijk, een beeld om ademloos bij stil te staan, als was het kunst, of een uitslaande brand op veilige afstand.

Er kwam geen einde aan.

De man zat op een ongemakkelijke, harde keukenstoel, met de rug bol en het hoofd wat hangend. Een stuk van zijn overhemd was uit zijn broek gekropen. Zijn bril was naar het puntje van zijn neus gegleden. Hij hoefde er niet doorheen te kijken om te zien dat tegenover hem nog steeds dezelfde woorden stonden te trillen als een halfuur geleden. Nieuwe woorden moeten soms van heel ver komen.

Of ze komen helemaal niet.

De naaimachine snorde onverdroten. De rode stof die de vrouw onder de dansende naald door voerde, stroomde aan de andere kant van tafel af. Soms hielp ze de stof een handje. Het moest haast wel of ze was met gordijnen bezig. Naast de naaimachine stond een asbak waar een sigaret in weg lag te smeulen. Rook kringelde op. Ook al zoiets dat je zelden meer ziet.

Buiten begon het te regenen.

Zachte, trage druppels.

Na een tijdje liepen ze als tranen over het glas dat de echtelieden van de wereld scheidde. Geen van tweeën had in de gaten wat er buiten gebeurde, de wereld bestond voor hen eenvoudigweg niet. De een wachtte op woorden, de ander naderde onvermijdelijk het moment dat de gordijnen klaar waren. Vlak bij de vensterbank stond een hobbelpaard waar van het weekend een kleinkind op kwam rijden, en anders volgend weekend wel.

Afspraak

De vrouw zat in de serre van het grand café. Het was tien over elf, donderdagochtend, de zon scheen. Ze speelde met haar mobiele telefoon, zoals je ook wel eens wachtenden met hun trouwring ziet spelen.

Ze was een jaar of veertig.

Aan de goede kant nog van die magische grens, dat wel, keurig in de kleren, zorgvuldig opgemaakt – een dame, een enkele grijze haar in haar blonde kapsel. Aan haar pols een gouden horloge, Cartier.

Vanuit het café kwam een serveerster met op het dienblad een cappuccino. De koffie werd op tafel gezet, en de vrouw haalde uit haar tas een grote, rode portemonnee. Terwijl ze het benodigde kleingeld bij elkaar zocht, wiebelde de serveerster heen en weer.

Er werd gepast betaald.

De serveerster verdween weer.

De vrouw begon langzaam in haar cappuccino te roeren. Soms komen de gebeurtenissen op gang als je even nadrukkelijk iets anders doet, alsof je ze een kans moet geven – als het ware. Maar nu gebeurde dit niet.

Jammer.

Ze nam een voorzichtig slokje van haar koffie, zette het kopje snel weer terug op het schoteltje, ontkruiste haar benen, schoof wat heen en weer, sloeg het ene been over het andere en trok haar rok recht. Ze zuchtte en nam haar mobieltje ter hand. Ze belde er niet mee, maar zocht houvast.

Buiten reed een vrachtwagen van Albert Heijn voorbij, gevolgd door twee politieagenten op een mountainbike en een luidruchtige spuit- en zuigwagen van de reinigingsdienst, die werd omgeven door mannen in oranje jassen die zonder veel inspiratie grote bezems hanteerden. Toen de colonne voorbij was, was alles weer bij het oude.

Herfst in Amsterdam.

Een man kwam aangefietst.

Hij had grijs haar, bleke wangen, een snor en een regenjas aan die er goed bij paste. Hij had een kalme, bedaarde manier van fietsen, alsof hij een rol speelde. In dat kader vermeed hij het naar de serre van het grand café te kijken. Dat deed hij pas toen hij stilstond bij het fietsenrek verderop. Hij zwaaide even kort naar de vrouw en boog zich toen over zijn kettingen en sloten.

De vrouw keek toe.

Ze had even kort met een paar vingers naar de man gezwaaid, een gebaar alleen voor hem bedoeld, en zeker niet bedoeld om opgepikt te worden door toevallige passanten, en nam nu een slok van haar koffie. De nauwelijks waarneembare nervositeit toen ze nog wachtte op de man sloeg om in spijt nu hij er was. Ze had zich in hem vergist en had niet met hem af moeten spreken.

Ze haalde diep adem.

Intussen was de man klaar met zijn fiets en hij kwam op het grand café af. Hij wist zich nadrukkelijk bekeken, en dat gaf hem iets onhandigs, maar hij glimlachte dapper. Ook hij leek met iedere stap meer spijt te krijgen van de ontmoeting die op het punt stond een aanvang te nemen.

Hij betrad het café, schoof aan bij de vrouw.

De serveerster arriveerde en nam de bestelling op. Meteen nadat ze was verdwenen, viel er een ongemakkelijke stilte tussen de twee mensen die hadden afgesproken. Er zat niets anders op dan in beleefdheid een minuut of twintig met elkaar door te brengen. Ze zagen er allebei als een berg tegen op.

Bolleboos

'Ik mag niet naar de bollebozen,' sprak het kleine mannetje dat met zijn ouders in het restaurant zat. Hij zag er wel als een bolleboos uit, inclusief brilletje.

'Wat kan jou het schelen, joh,' bromde zijn vader, die ook zijn opa had kunnen zijn, gezien de leeftijd.

'Hè toe, Eduard,' suste de veel jongere vrouw en moeder.

'Wat nou, hè toe, dat is toch zo?' De man keek zijn vrouw vermoeid, maar scherp aan. Hij hield er niet van om te worden tegengesproken.

'Natuurlijk is het niet erg dat Joachim niet naar de bollebozen gaat,' zei de vrouw haastig, 'maar hij mag het toch wel jammer vinden?'

'Vind je het jammer?' vroeg de vader aan zijn zoon. Mannen onder elkaar.

'Leon gaat wel naar de bollebozen,' zei het jongetje. Zijn toon was onzeker.

De man nam een slok van zijn wijn en keek om zich heen. Het was nog vroeg, maar toch al vrij druk in het restaurant. Hij had honger en geen geduld met kleine mannetjes en jonge vrouwen.

‘Het is helemaal niet erg, schat.’ De vrouw aaide haar zoon over zijn bol.

De man onderbrak. ‘Toen ik zo oud was, wílde je niet op bijles. Je liep de kantjes eraf. Je haatte school.’

‘Eduard! Joachim is negen!’

‘Dat bedoel ik!’

Joachim maakte zich kleiner dan hij al was. Hij haatte zijn ouders als ze ruzie hadden.

‘En het is helemaal geen bijles,’ ging de vrouw verder, ‘het is gewoon een clubje voor de kinderen die het goed doen in de groep. Dat ze niet alleen maar met de stof bezig zijn.’

‘Pardon?!?’

‘Ja. De bollebozen doen leuke dingen. Zo’n jochie als Leon, die leert moeiteloos. Maar hij moet ook andere dingen kunnen. Daarom hebben ze een groepje voor bollebozen. Daar doen ze spelletjes. Knutselen. Praten.’

‘Praten?’ Dat was niet Eduards favoriete werkwoord.

‘Ja, Eduard.’

Eduard keek peinzend naar zijn zoon en gooide er een knipoog tegenaan. ‘Het is toch niet te geloven,’ zei hij, ‘de hoogbegaafden hebben een praatgroep.’ Hij zweeg even. ‘Negen jaar!’ bulderde hij toen.

Hier en daar keken mensen op van hun eten.

‘Kom op, Eduard.’

‘Jaja, rustig maar,’ zei de man.

De klapdeuren van de keuken vlogen open en een serveerster met een vol dienblad kwam hun kant uit.

‘Ha, eten,’ zei de man. ‘Heb je honger, Jo?’

Joachim, het kleine mannetje, schudde voorzichtig zijn hoofd. Hij zag erg pips. Onder de tafel raakten zijn voeten de grond nog niet eens.

‘Ik wel, hoor,’ zei zijn vader zonder acht te slaan op de

boze zucht die zijn jonge echtgenote slaakte.

De serveerster zette het eten op tafel en op dat moment brak het bij de kleine Joachim. Zachtjes begon hij te huilen, waarbij vermeld moet dat hij na enige tijd zijn brilletje afzette. En terwijl zijn moeder hem probeerde te troosten, begon zijn vader hoofdschuddend te eten.

Onweer

'We krijgen onweer,' zei de man, die voor een grote oranje bungalowtent zat.

'Het is benauwd, hè,' vulde zijn vrouw aan die zat te kruiswoordpuzzelen.

'Ik denk dat we het nog een uurtje droog houden,' pufte de man deskundig. Hij kwam moeizaam uit zijn witte, plastic tuinstoel met gebloemde kussens. Zweet glansde op zijn gezicht.

'Wat ga je doen?' vroeg zijn vrouw. De bloemen van haar badpak vielen perfect samen met de bloemen van haar stoelkussens. Een wonderlijk gezicht.

'Nou, als we noodweer krijgen...' De man zuchtte.

'Misschien drijft het over,' zei de vrouw zonder op te kijken.

De donkere wolken die zich verderop samenpakten zagen er niet uit alsof ze over gingen drijven, sterker: ze hadden het speciaal voorzien op de camping.

De man verdween in de tent en kwam even later terug met een grote hamer, zo'n exemplaar met een zware, rubberen kop.

'Ik dacht dat je een glaasje inschonk,' mompelde de vrouw.

'Wil je een wijntje?' vroeg hij onmiddellijk.

'Lekker,' antwoordde ze.

De man ging de tent weer in. Deze keer bleef hij geruime tijd weg, maar ten slotte klonk het bekende geluid van een kurk die uit een fles wordt getrokken. Met twee glazen en de fles kwam hij de tent weer uit. De hamer hield hij onder zijn arm. 'Het ijs was alweer gesmolten,' bromde hij.

'Ach joh.' De vrouw keek niet op van haar puzzel.

De man zette de fles rosé en de glazen op het tafeltje tussen de twee gebloemde stoelen. Daarbij viel de hamer op de grond. Het gaf een mooi dof geluid.

'Het gaat beginnen,' zei de man somber. Hij pakte zijn hamer en haastte zich naar de eerste de beste scheerlijn en de bijbehorende haring.

De vrouw keek op. De donkere wolken hingen nog op exact dezelfde plaats als daarnet. Wel was er een wind opgestoken. De bladeren van de bomen ritselden luidruchtig. Ze schonk een van de glazen vol, keek met de fles in haar hand om naar haar man, haalde toen haar schouders op en zette de fles weer op tafel. De man dreef net een haring dieper in de grond.

In de verte rommelde het.

De man vloekte.

'Wat is er, Herman?'

'Die klotegrond hier, overal stenen. Hier, moet je kijken...' Hij hield een haring omhoog die behoorlijk was verbogen.

'Wat maak je je druk,' zei de vrouw.

'Aan jou heb ik niks,' zei Herman boos en hij sloeg de kromme haring zo goed en zo kwaad als het ging de grond in en kroop toen de hoek om. Aan de achterkant van de tent was de situatie nog ernstiger.

De vrouw dronk van haar wijn, en sloeg haar grote puzzelboek weer open. Ze kauwde peinzend op haar pen. Af en toe trokken haar grote voortanden het kleine dopje boven op de pen even los. Een bliksemschicht sprong langs de donkere lucht.

'Zie je nou wel!' riep Herman.

De vrouw zuchtte.

'De kussens moeten naar binnen,' klonk het van achter de tent.

'Jezus, Herman, ik zít erop,' riep de vrouw kwaad terug. Ze keek naar de gebloemde kussens in Hermans stoel. De vorm van zijn achterwerk leek even goed zichtbaar. Er viel nog geen druppel regen, maar het hameren achter de tent klonk onheilspellend genoeg.

Smaak

'Wat heb je nou aan?'

'Een nieuw pak.'

'Dat zie ik ook wel.'

'Waarom vraag je het dan?'

'Omdat het een afschuwelijk pak is, daarom! Om te beginnen is het van corduroy. Wie loopt er nou in een corduroy pak? Verder is het getailleerd, nou ja, het lijkt wel een mantelpak. En het is lichtbruin. Heb je wel in de spiegel gekeken?'

'Het is geen corduroy.'

'Ooh nee? Wat is het dan?'

'Ribcord.'

'Ribcord. En ribcord is geen corduroy volgens jou?'

'Ik vind het mooi.'

'Man, waar heb je het gekocht? Ooh nee, niet zeggen. Ik weet het al. Bij die vreselijke zaak met die rode homo. Die heeft het je aangepraat. Ooh ooh, wat ben je toch dom soms.'

'Ribcord is in de mode.'

'Ribcord is in de mode? Zei ie dat? Laat me niet lachen. Dertig jaar geleden was het in de mode, en toen ook alleen nog maar bij leraren en ambtenaren.'

'Ik vind het mooi. Het zit heerlijk.'

'Het staat voor geen meter.'

'Het staat wel.'

'Dat zei hij zeker? Jij bent ook wel heel makkelijk te lijmen, hè? Je gaat het maar ruilen.'

'Dat kan niet. Het was in de uitverkoop.'

'Dat geloof ik graag. Zo'n pak kun je alleen aan sukkels kwijt die de uitverkoop afstruinen.'

'Ik ben geen sukkel.'

'Je dacht niet: hoe komt zo'n mooi pak in de uitverkoop terecht?'

'Moet je kijken wat je zelf in de uitverkoop koopt.'

'Egbert, je loopt voor lul. Van wie is het eigenlijk?'

'Uh? Van mij natuurlijk, van wie anders?'

'Nee man, van welke ontwerper is het?'

'Weet ik veel.'

'Ik wed van een Belg. Laat eens kijken.'

'Afblijven.'

'Nou zeg, doe niet zo kinderachtig! Laat zien.'

'Jij doet hier kinderachtig.'

'Ik maak me zorgen, ja.'

'Je hoeft je over mij geen zorgen te maken, hoor.'

'Als mijn man er zo bij gaat lopen, maak ik me zorgen ja. Hoewel, misschien moet ik me juist nergens zorgen over maken. Geen vrouw die je nou nog serieus neemt.'

'Trut.'

'Nou ja, die homo misschien, uit die winkel van je. Ben je stiekem nicht geworden, schat?'

'Jezus, zeg...'

'Ooh, wat zijn we weer gevoelig. Grapje, schat, grapje.'

'Ik hou niet van grapjes.'

'Nee, precies. Dat is het met jou.'

Antwerpen

We waren in Antwerpen. De zon scheen in de Schelde.

'We moeten naar Walter,' zei mijn vrouw opgewonden.

Ik ken geen Walter, maar ik ken mijn vrouw – dus daar gingen we, op naar Walter.

Walter zit in een hippe buurt van Antwerpen, wat heet – in het modemekka rond de Nationalenstraat waar ook de ModeNatie is gevestigd.

Goed, we waren er zo.

Walter zat in een oude garage in een stoffig zijstraatje. Hij was er zelf niet, en dat was jammer. Een man die Walter heet, en dan ook nog Van Beirendonck; die wil je van dichtbij bekijken: ziet hij er zo knoestig en bebaard uit als zijn naam klinkt, of is het een magere, bleke homo – ik bedoel; je weet het niet met een modekoning.

Maar ook zonder Walter was het boeiend bij Walter. Zo stond er midden in de oude garage een houten chalet waarin enkele kledingstukken hingen, Tiroler jurken en lederhosen. Als het aan Walter ligt, is dat de toekomst.

Verder waren er veel honden te zien. Maar het aardige was dat ze van porselein waren, of van steen, misschien zelfs wel opgezet, en dat iemand aluminiumfolie om hun koppen had gedraaid, misschien Walter zelf wel. Ook stonden hier en daar alleraardigste hondenhokken opgesteld, van prachtig gelamineerd hout, maar ze hadden geen ingang.

Behalve het chalet waren in de garage ook nog enkele kledingrekken. Anders dan in andere winkels hingen ze hier niet vol. Om de twintig centimeter hing een broek, of een rok, of een ander onduidelijk gewaad met epauletten. We hoefden dus niet als gekken te graaien, maar konden in rustige contemplatie langs de koopwaar dwalen.

Het had wel wat.

We kwamen bij een plateau waarop twee wollen truien lagen. De ene trui was blauw, de andere groen. Zowel het blauw als het groen deed zeer aan de ogen. In het breiwerk was met wit een Noors motief verwerkt, een rendiergewei of iets dergelijks. Het waren exact de truien van Plien en Bianca van het gelijknamige duo, dat in Nederland samen met postbode Siemen zo'n furore heeft gemaakt.

'Goh,' zei mijn vrouw, 'die Walter.'

We staarden in eerbiedige stilte naar de twee truien. Je kon Plien en Bianca er zo in denken. Om hen heen doemde dan vanzelf een Hollands polderlandschap op. Werden zij nou gekleed door Walter of keek Walter naar *Villa Achterwerk* om op ideeën te komen?

Alles kan.

We verlieten de garage.

'Wat nu?' vroeg ik.

'Dries,' zei mijn vrouw en daar gingen we, op naar Dries van Noten, een man die klinkt als een chocoladereep.

Onderweg kwamen we langs tientallen leuke, hippe, trendy zaken. Ze stonden allemaal in ons leuke, hippe, trendy reisgidsje. Boeiend, om dat eens mee te maken.

Toch hing er wel een gevoel van teleurstelling tussen de echtelieden. Die verdomde Walter had er met de pet naar gegooid. Aan de andere kant: de pet gaat het helemaal maken, dit najaar.

Mia

'Ik heb haar leren kennen op elf september. Echt waar. Zoiets verzin je niet. Ik was bij Groove toen het gebeurde. Ineens stond iedereen bij de televisie. Alleen de eerste toren stond nog maar in brand. Niemand wist wat er aan de hand was natuurlijk. Toen kwam dat tweede vliegtuig.'

De jongen die deze woorden sprak hing heel ontspannen op een groene bank in een modern café. Hij droeg een witte broek, een zwart T-shirt en een bril met geel getinte glazen. Hij was een jaar of twintig. Hij praatte tegen het meisje achter de bar. Zij was haar nagels aan het lakken, een karweitje waar ze al haar aandacht in stak.

'Na een tijdje ben ik bij Groove weggegaan. Ik weet niet meer of de torens toen al ingestort waren of niet. Op straat hing een hele rare sfeer. Overal waar je langskwam, zag je televisies aanstaan.'

'Ik weet niet meer waar ik was,' zei het meisje achter de bar zonder op te kijken van haar werkzaamheden.

'Ik kwam Mia tegen op de brug bij de Kinkerstraat. Ik had haar wel eens gezien, op straat gewoon, maar nooit iets tegen haar gezegd. Nu stonden we naast elkaar voor het stoplicht te wachten. Ik stond er het eerst en zij kwam opeens naast me staan. Ze was op een mountainbike. Ik keek opzij. Ze lachte naar me.'

'Cool,' mompelde het meisje achter de bar. Ze bekeek haar nagels die glanzend roze waren en wapperde loom met haar hand.

'Mijn moeder blaast er altijd tegen,' zei de jongen.

'Dat moet je juist niet doen,' antwoordde het meisje. Ze bleef wapperen.

'"Waar moet jij heen?" vroeg Mia toen het licht op groen sprong. We staken samen over. "Naar huis," zei ik. "Zullen we wat drinken?" vroeg ze. "Je hebt zo'n goeie uitstraling."'

'Typisch Mia,' zei het barmeisje.

'Wist ik veel. Dus we gingen wat drinken. Ergens daar in de buurt, op een terrasje. Ik vond haar ontzettend leuk. Op een gegeven moment kreeg ze telefoon en toen moest ze weg. Ik gaf haar mijn nummer. "Ik bel je," zei ze. Haar nummer gaf ze niet. Ze belde meteen die avond. Ik zat televisie te kijken, thuis gewoon. Uren achter elkaar, naar die vliegtuigen en die WTC-torens. Blowtje erbij, dat maakte het nog gekker. Mia kwam langs.'

'Ooh ja? Meteen al?' Het meisje was aan haar andere hand begonnen. De nagels daar kregen een andere kleur, blauw.

'We hebben samen tv-gekeken, verder niks. Ze was helemaal van slag, maar ook heel grappig. Om drie uur of zo ging ze weer weg, maar nu kreeg ik wel haar nummer. Nou ja, zo is het begonnen...'

'En nu?'

De jongen zuchtte en haalde een hand door zijn haar. 'Ik weet al een tijdje niet waar ze is. Ze heeft een ander telefoonnummer. En ik ben nooit bij haar thuis geweest. Ze kwam altijd bij mij. Of we zagen elkaar in de stad. Wanneer heb jij haar voor het laatst gezien?'

'Een maand geleden, zoiets. Maar Mia duikt wel weer op, hoor. Het is alleen stom dat je verliefd op d'r bent geworden.' Het meisje lachte, een boos lachje, en keek niet op van haar nagels.

Verjaardag

De jongeman aan de overkant van de straat had een rode roos bij zich die hij achter zijn rug verstopt hield. Hij droeg een donkerblauw pak en zijn haar was nat, maar gekamd. Ouder dan dertig kon hij niet zijn. Het was maandagochtend. Ik stond op het punt om naar kantoor te gaan.

De jongeman ook.

Maar eerst nog even iets anders.

Ik zag hem oversteken naar mijn kant van de straat. Zijn blik ging zoekend rond. Ik maakte me geen zorgen, hij ging vinden wat hij zocht. Dat heb je soms, dat je zoiets voelt. Even later stond ik buiten.

Er viel een miezerige regen.

De jongeman stond een paar deuren verderop aan te bellen. Toen er niets gebeurde, hurkte hij om door de brievenbus te kijken. De roos raakte de grond. Hij kwam weer overeind en keek hulpeloos mijn kant op. Ik haalde mijn schouders op.

Hij glimlachte, beschroomd.

Weer belde hij aan. Het was de bovenste bel waar hij op drukte. Het touw naar boven, in het trappenhuis, was natuurlijk kapot – daarom duurde het zo lang voor de deur openging. Of de bewoners sloten 's nachts de voordeur af, en nog niemand had het pand verlaten, dat kon ook. Of op drie hoog was niemand thuis, een mogelijkheid waar de jongeman en ik maar liever niet aan dachten.

Ineens zwaaide de deur open.

De jongeman en zijn roos vielen pardoes naar binnen, zo zag het eruit. Ze kwamen terecht in de armen van een forse blondine, die nog niet helemaal klaar was voor de dag.

Omdat het mijn verjaardag was, besloot ik via een omweg naar kantoor te lopen. Het eerste deel daarvan bestond eruit dat ik pal langs het tafereel verderop liep. Een goed idee was dat.

Het zag er prima uit. De jongen in zijn donkerblauwe pak, verdronken in de armen van de grote blondine, die snel een spijkerbroek en een roze truitje had aangetrokken en onderweg naar beneden ook nog even de ergste nesten uit heur haar had geborsteld. Ze zoenden dat het een aard had.

Kwam de jongeman iets goedmaken?

Haar ten huwelijk vragen?

Zijn verpletterende liefde bekennen?

Het leek erop, en dat op mijn verjaardag!

Ik vervolgde mijn weg. Liever had ik een tijdje met open mond naar de geliefden staan staren, maar ja – de plicht riep. Niet zo hard trouwens, dat moet ik erbij zeggen; het was meer een soort geniepig fluisteren.

Het laatste wat ik van de geliefden zag, was hun onderstel. Zij was op blote voeten de trap af gekomen, en hij droeg zwarte Van Bommels. Ze stonden te midden van huis-aan-huisbladen en reclamefolders, die typische rommel onder aan de trap. Ook de roos lag op de grond, gesneuveld in de passie.

Ellende

Ze bevonden zich aan de goede kant van de Amsterdamse Overtoom: in de schaduw. Ze waren een jong stel, net bevallen van hun eerste baby. Het kind hing in een draagzak bij papa op de borst.

De locatie op de Overtoom: vlak bij de hoek met de Constantijn Huygensstraat, nog preciezer: op het stukje tussen Domino's Pizza, videotheek Moviecenter en de Etos. Het was tweede pinksterdag, ongeveer halfvier. De Etos was gesloten, de videotheek open en de pizzeria in afwachting van de dingen die komen gingen. Langs de stoep stond een lange rij brommers.

'Wat een gezeik is dit, zeg,' zei de jonge vader. Hij hield halt voor de etalage van de videotheek. Uit het hoofdje op zijn borst klonk klaaglijk gehuil. Op de grond, tussen zijn gesandaalde voeten, lag een roze speen. 'Waarom dondert dat ding er de hele tijd uit?'

De jonge moeder gaf geen antwoord, maar bukte zich om de speen op te rapen. Ze droeg een korte, witte broek, die spande tussen haar billen. Ze maakte de speen schoon door er zelf even op te sabbelen. Daarna bracht ze hem weer voorzichtig in bij de kleine. 'We moeten hem omdraaien,' zei ze, 'met z'n gezichtje naar je toe.'

'Dan ziet ie niks,' zei de jonge vader kwaad. Zijn eigen blik kleefde vast aan de nieuwe Woody Allen in de etalage van de videotheek, *Hollywood Ending*.

'Wat ie nu ziet, onthoudt ie heus niet, hoor,' zei de jonge moeder. Ze wist niet of ze nou boos was of de humor van de situatie in moest zien. 'En die speen valt dan ook niet steeds op de grond.'

'Zullen we een filmpje huren?' vroeg de jonge vader. 'Wanneer hebben we nou voor het laatst 's avonds een film gezien?' Van Woody Allen keek hij nu naar *Bend It Like Beckham*, en daarnaast, *Femme Fatale*.

De jonge moeder haalde haar schouders op. 'Ik ben moe,' zei ze, 'sorry.'

'Ik ook, hoor,' zei de jonge vader.

'Jaaaah, dat weet ik,' zei de vrouw kribbig.

Daar stonden ze, jonge ouders in korte broeken, dodelijk vermoeid, voor de etalage van een videotheek.

'Ik heb m'n pasje bij me, geloof ik,' zei de jonge vader. Hij tastte naar zijn kontzak. 'Kom op, een leuke film, lekker samen lachen, heb je daar geen zin in?'

De jonge moeder streelde het toetje van haar baby. Dacht ze na, en zo ja – dacht ze aan lekker samen lachen of dacht ze aan haar baby? 'Oké,' zei ze toen, maar zonder veel overtuiging.

De jonge vader stapte de videotheek binnen. Het was er niet druk. Hij liep even langs de schappen, en had toen de nieuwe Woody Allen te pakken. Hij stak door naar de balie achter in de zaak en rekende af. Kort daarop stond hij weer buiten. 'Ik heb hem,' zei hij tegen zijn vrouw.

'Waar gaat ie over?' vroeg ze.

De man draaide de doos even om, las de achterkant. 'Ooh, gewoon, een leuke Woody Allen,' zei hij. De baby op zijn borst slaakte een boertje, en de roze speen beschreef een leuk boogje door de lucht en kwam op de grond terecht. ‘Hè shit, wat een ellende,’ zei de jonge vader.

Liefde

Ze kwamen elkaar tegen op de hoek van de Van Baerlestraat en de Frans van Mierisstraat, pal bij het terras van de delicatessenzaak Renzo's.

Oude geliefden.

Hij was een jaar of veertig, grijs krullend haar en zomerse kleding; slippers, een rommelige broek en een openstaand, gebloemd overhemd. Zij was halverwege de dertig, blond, maar bleek om de neus en voorzien van twee kinderen in de bak voor op haar speciale fiets van 't Mannetje.

Hij liep, zij kwam aangereden.

'Hé schat,' zei hij toen ze vlak bij hem was, bijna met het voorwiel op zijn tenen, 'hallo.' Hij zette zijn zonnebril in zijn krullen.

'Hé hallo,' zei zij, en omdat ze toch moest stoppen voor de drukke Van Baerlestraat, stapte ze af.

De man bewoog naar haar toe, en zij liet zich driemaal door hem zoenen; één keer links, één keer rechts. De derde zoen wilde hij op haar mond plaatsen, maar ze ontweek hem net op tijd en hij verdwaalde met zijn getuite lippen op haar neus. Vanuit hun bak keken de kinderen, kleine jongetjes met spierwit, Hollands haar, verbaasd toe.

'Hoe gaat het met je? Je ziet er goed uit.' De man legde een hand op het fietsstuur.

'Dank je,' zei de vrouw, die er helemaal niet zo goed uitzag, althans – ze zou beter kunnen als ze zich had opgemaakt en haar mooiste jurk had aangetrokken. Nu droeg ze een slordig knoetje waar de helft van het haar uit hing, een spijkerbroek en rode Allstars. 'Zeg eens dag, jongens,' spoorde ze de jongens in de bak aan.

'Dag meneer,' zeiden de jochies.

'Hoe heten jullie?' vroeg de meneer.

De jongens keken elkaar aan.

'Dat is Jesse,' zei de vrouw, en ze wees op het grootste jongetje, een jaar of acht. 'En dit is Frits.' Ze aaide even over zijn bol.

'Frits... wat een goeie naam,' zei de man.

'Opa heet Frits,' zei Jesse.

De man glimlachte, een beetje als een boer met kiespijn. Háár vader heette geen Frits, dat wist hij zeker.

'Hoe gaat het met je, Theo?' vroeg de vrouw. Ze duwde haar fiets iets meer naar de Van Baerlestraat toe, al bijna op het punt om aan de oversteek te beginnen. Haar ogen keken al spiedend de weg af.

'Z'n gangetje,' antwoordde Theo, 'druk, druk. En jij, wat doe jij?'

Ze knikte naar de twee jongetjes. 'Wat denk je?' vroeg ze. 'Ik heb mijn handen vol.'

Theo knikte. Hij wilde misschien iets zeggen over de mooie carrière die ze had kunnen hebben als ze ergens in haar leven andere keuzes had gemaakt, maar hij hield het voor zich. Zijn eigen keuzes zag hij ook even passeren, en hij zuchtte. 'Wat een leven, hè,' mompelde hij toen.

'Het is heel mooi, Theo,' zei de vrouw, 'probeer ervan te genieten.' Ze duwde de bakfiets met haar twee blonde jongetjes vooruit en ging op het zadel zitten. 'Daaag,' riep ze, zonder om te kijken.

Theo keek haar na, haalde zijn zonnebril uit zijn krullen, poetste hem aan een punt van zijn blouse, zette hem op zijn neus en slenterde toen somber verder.

Ochtend

'Kom je nou nog?' vroeg de man. Aan zijn kin hing een klein stukje toiletpapier met een rode stip bloed erin. Het was zondagmorgen, tien over tien, en de man stond voor zijn eigen, geopende deur aan de Nassaukade in Amsterdam. Langs de stoep stond een donkergroene Rangerover te snorren. De achterklep stond open.

'Jaaaa, we komen eraan,' klonk vanuit het huis een geïrriteerde vrouwenstem.

De man keek op zijn horloge.

'Hè toe, kom even helpen,' riep de vrouw.

De man haalde diep adem en liep het huis in.

Een paar tellen later was hij terug met een klein jongetje aan de hand. Het jongetje huilde niet, maar spartelde wel tegen. Een jaar of vijf. 'Ik wil niet naar opa en oma!' riep hij. Het brilletje dat hij droeg, stond scheef.

'Opa en oma zijn hartstikke lief,' zei de man.

Het jongetje zweeg.

'Opa en oma zijn hartstikke lief,' herhaalde de man, op een vinnige toon die moeiteloos in woede om zou kunnen slaan.

Het jongetje knikte snel.

'Ga maar in de auto zitten,' zei zijn vader. Hij opende de achterdeur van de Rangerover en wachtte geduldig tot zoonlief aan boord was geklommen en in zijn zitje zat. Daarna boog hij zich naar binnen om de riemen vast te maken. 'Zit je goed?' vroeg hij toen hij klaar was.

'Ja pap.'

Pap vouwde zich de auto weer uit. Hij zag er heel tevreden uit, eventjes. Een jaar of veertig, een fijne Rangerover, een zoon op de achterbank, een zonnige zondagmorgen, wat kon hij nog meer willen? Hij hees zijn corduroy broek op.

'Waarom moet ik altijd alles alleen doen?!?' klonk het vanuit het huis.

De man aarzelde. Hij kon de moed laten zakken of hij kon het heft in handen nemen. Hoewel het eerste misschien aantrekkelijker was, koos hij toch voor het tweede en hij beende met afgemeten, duidelijke passen het huis in. 'Wat is er aan de hand?' galmde hij ondertussen enthousiast.

Een minuut later stond hij weer buiten, bepakt met een grote kinderwagen, zo'n driewieler met rubberbanden, een schapenvacht, een tas vol luiers, hapjes, knuffels en spuugdoekjes en een babyzitje dat aan een tafel gehaakt kan worden. In zijn kielzog volgde een vrouw met een bontmuts op het blonde hoofd en een baby onder haar rode, winddichte wintersportjack. Het hoofdje beschermde ze met haar hand. Aan de vingers glinsterden diverse ringen.

De man laadde de spullen in de auto en sloeg de klep dicht. 'Hebben we alles?' vroeg hij.

De vrouw stapte in de auto, achterin.

De man keek om zich heen. In de gracht aan de overkant dobberde een eenzame, onbemande waterfiets.

De man haalde zijn schouders op en liep naar de voordeur, die nog openstond. Hij sloeg hem dicht en haalde zijn gsm te voorschijn. Terwijl hij naar de auto liep, bracht hij het toestel naar zijn oor. 'We vertrekken nu, mam,' zei hij vlak voor hij instapte. 'Staat de koffie klaar?' Het stukje wc-papier dat aan zijn kin hing, liet los en dwarrelde weg.

Midlife

'Dat méééééén je niet!!'

'Uhuh.'

'Ik weet niet wat ik hoor. Met wie heb je gepraat? Met dat mens, hoe heet ze...'

'Ik heb met niemand gepraat.'

'Ach kom, natuurlijk wel. Je bedenkt toch niet zelf dat je depressief bent? Haha. Ik weet niet wat ik hoor.'

'Toch is het zo.'

'Toch is het zo? Wat nou man? Je staat 's ochtends zingend voor de spiegel. Je bent de hele dag aan het werk. Je komt 's avonds fluitend thuis. Dat ziet er niet erg depressief uit, hoor.'

'Allemaal schijn.'

'Schatje toch...'

'Lach er maar om.'

'Ik lach er helemaal niet om. Je bent depressief. Ik zie er niks van, maar goed, jij zegt het. Misschien moeten we een leuk weekendje plannen.'

'Waarheen? Weer naar Parijs?'

'Whatever! Zeg het maar. Jij bent depressief, hoor, ik niet. Heb jij nou wel of niet met dat mens gepraat, kom, hoe heet ze...'

‘Je bedoelt Elsemiek. En je weet best hoe ze heet.’

‘Elsemiek, ja.’

‘Nee.’

‘Ontzettend stomme naam vind ik dat. Je hebt niet met haar gepraat?’

‘Hoezo?’

‘Dat is nou typisch zo’n vrouw die een man een depressie aanpraat. Kun je lekker bij d’r komen uithuilen.’

‘Wat ben jij stom, zeg.’

‘Stom? Ik? Jij bent stom. Je mankeert niets en je laat je door zo’n trut aanpraten dat je depressief bent. Straks ga je nog zeggen dat je in je midlifecrisis zit.’

‘Dat zou inderdaad wel eens kunnen.’

‘Heeft ze dat gezegd? Oohooh, mannetje, wat ben je toch makkelijk te paaien.’

‘Wil je nou ophouden! Elsemiek heeft er niks mee te maken!’

‘Gelukkig maar.’

‘Wat doe je kinderachtig, zeg.’

‘Ze heeft er niets mee te maken, maar je hebt wel met haar gepraat, hè? Zeg nou eerlijk...’

‘Ja.’

‘Zie je wel! Zie je nou wel!’

‘Het is een collega, schat. Doe niet zo gestoord. Als iemand vraagt: “Is er wat?”, geef ik antwoord. Ik wou dat jij eens vroeg hoe ik me voelde.’

‘Ga je huilen?’

‘Rot op.’

‘Oké, oké, je bent depressief. En dan? Ga je naar de dokter? Prozac slikken? Een ander leven misschien? Wat wil je dat ik zeg? *This is it*, schat.’

‘Daar heb ik wat aan.’

‘Wat zegt Elsemiek dan? Dat er achter de horizon nog van alles ligt te wachten?’

‘Laat maar.’

‘Nou wil ik met je praten en dan...’

‘Laat maar, zeg ik toch.’

‘Hè toe, schat, sorry, ik heb mijn dag niet. Vertel nou, wat is er met je?’

Middag

Het is een grijze druilerige zondagmiddag. In de Kalverstraat is het druk, maar de sfeer is gelaten. De wil om het eens goed op een shoppen te zetten, lijkt te ontbreken. De mensen bewegen wel, en ze gaan de winkels in en uit, maar de bezieling is er niet. Je ziet ook weinig volle tassen. Het komt door het weer, een vreemde, bijna klamme herfstigheid.

Jas dicht, jas open.

Sjaal om, sjaal af.

De ene keer het zweet op de neus, de andere keer rillingen op de rug – zulk weer, geen zuchtje wind.

In een lunchroom vlak bij de Munt zitten twee dames, moeder en dochter, aan een klein tafeltje – ze hebben allebei een grote beker cola voor zich.

'Wat wil je voor Eddie kopen?' vraagt de moeder. Ze is een jaar of vijftig, maar doet haar best om er goed uit te zien.

'Hij wil niks, zegt ie,' antwoordt de dochter nonchalant. Ze neemt een slok van haar cola. De ijsblokjes rinkelen tegen haar tanden. Ze heeft hetzelfde blonde haar als haar moeder – er hangt een oranje waas overheen.

'Dat zei je vader ook altijd,' zegt haar moeder.

'En daarom kreeg hij altijd sokken, zakdoeken, onderbroeken en dassen, hè mam,' reageert de dochter. Haar stem klinkt cynisch.

Moeder haalt haar schouders op. 'Heb jij het ook zo warm?' vraagt ze. Haar ogen zijn te blauw opgemaakt.

'Drink wat, mam,' antwoordt de dochter.

Moeder pakt haar beker en drinkt. Haar lange nagels hebben dezelfde kleur rood als de beker. Aan de overkant bij Hunkemöller trekt een meisje de etalagepoppen nieuwe bh'tjes aan.

'Koop een leuk setje ondergoed voor jezelf,' zegt de moeder als ze is uitgedronken.

'Nee mam.'

'En dat geef je dan aan Eddie. Dat vinden mannen leuk, sexy ondergoed.'

'Nee mam.'

Moeder en dochter zwijgen.

In de etalage van Hunkemöller steekt het meisje een prijskaartje in de bh die de pop nu aanheeft. Ze streelt de bedekte boezem, de stof moet mooi spannen. Het is een teder gebaar, alsof het echte borsten zijn waar haar vingers langs gaan. Daarna trekt ze wreed een naakte pop naar zich toe voor de volgende bh.

'Wat vond pa eigenlijk van al die sokken en zakdoeken, mam?' vraagt de dochter ineens.

Haar moeder schrikt op – in gedachten aan de overkant. 'Uh? Niks. Hij...' Ze graaft in haar herinneringen, maar er komt niets boven. Ze neemt maar snel een slok cola. 'Zullen we zo gaan?'

'Niks? Ik vond het altijd heel zielig voor hem. Weer sokken, weer zakdoeken, weer een das. En je kocht ook altijd van die stomme dassen! Heb je nooit een echt cadeau voor hem gekocht?'

‘Kom, we gaan,’ zegt moeder. Ze is al opgestaan. ‘We gaan iets leuks voor Eddie zoeken.’

‘Goed, mam,’ zegt de dochter mat. Ze staat op.

Kort daarop lossen de dames op in de winkelende menigte. Ze worden even gedachteloos nagekeken door het meisje in de etalage van Hunkemöller, ze heeft een paar spelden tussen haar lippen. De zondagmiddag is nog lang.

Avondtoilet

De vrouw was een jaar of vijfendertig en gekleed in avondtoilet: een lange, lichtblauwe rok waarvan de zoom rakelings langs de grond scheerde, en een mooie, witte blouse. Ze had een grote, roze sjaal om zich heen geslagen tegen de kou. Het was zaterdagochtend, ik was de hond aan het uitlaten.

De vrouw trok de aandacht.

Je komt niet vaak 's ochtends vroeg vrouwen in avondtoilet tegen en al helemaal geen dames die er dromerig bij kijken, zoals deze, en er een wat slome, maar toch zwierige motoriek op na houden; alsof ze zich niet in een herfstige ochtend in het jaar 2003 bevond, maar in een negentiende-eeuwse lenteavond, de sjaal om vanwege een frisse bries.

Het was stil op straat.

De hond en ik volgden de vrouw op discrete afstand. Zo zwierig als ze leek te bewegen, zo onzeker was ze over de richting waarin ze ging. Af en toe stond ze langdurig stil en keek ze om zich heen, verwonderd als een toerist die van haar route is afgeweken en ineens de mooiste dingen ziet. Soms lachte ze zelfs, maar daarna kostte het haar moeite weer in beweging te komen.

Misschien had ze de hele nacht gefeest; was ze met een man naar zijn huis gegaan en had ze zich op het laatste moment bedacht; was ze de trap af gevlucht toen hij even naar het toilet was, misschien had ze uren van lange gesprekken achter de rug met een ex die haar maar niet los kon laten en was ze uiteindelijk ontsnapt, misschien zat het allemaal anders. Maar dat haar vreemde aanwezigheid iets met de liefde te maken had, was duidelijk.

Waarom eigenlijk?

Er zat toch een patroon in haar route; na twee hoeken te zijn omgeslagen, volgde ze het water, daarna stak ze een brug over, en bewoog ze terug, richting stad. Halverwege stond ze stil, onzeker, licht heen en weer zwaaiend. Ze tuurde naar het huizenblok aan de overkant, een hele rij appartementen, driehoog, vierhoog, allemaal hetzelfde uit de verte.

Er bewoog een gordijn.

De vrouw liep naar de waterkant. De wind speelde met haar lange rok. Zwarte schoenen met hoge hakken waren even zichtbaar, riemen om de enkels. Het was ineens geen dame in avondtoilet meer die dromerig langs de huizen liep, op een zaterdagochtend in november, maar een hysterica die zich voor het huis van haar geliefde in het water wilde storten. Ze laveerde tussen de geparkeerde auto's door en kwam aan de rand van de kade. Het water zag geel en rood van de afgewaaide eikenbladeren. In de verte rinkelde een tram.

Ze keek naar het raam aan de overkant waar de gordijnen hadden bewogen. Nu gebeurde er niets meer. Ondanks het feit dat het niet regende, had ze nat haar. Ze haalde er onzeker een hand doorheen, en het leek te helpen – ze bekeek de hand, ze veegde hem af aan haar rok, ze haalde haar schouders op en deed een paar stapjes achteruit, terug naar de straat, weg van de waterkant. Terwijl ze het deed, zag ze het absurde van haar situatie in. Ze lachte, een bevrijdende lach. Daarna verliet ze met vaste tred de buurt – iemand die naar huis wilde.

Zoen

Op de Dam zag ik een man en een vrouw elkaar zoenen, een nette man en een nette vrouw. Het ging er innig aan toe, maar de hotdogverkoper die iets verderop zijn karretje met vlaggen aan het optuigen was, had er geen oog voor.

Er hing op het moment van de zoen een helderblauwe lucht boven de Dam. Het was koud, maar dit kwam de zoen ten goede. Wat ook hielp, was dat de vrouw op haar tenen stond. Haar schoenen hingen daardoor een beetje los aan haar voeten. De man droeg gladde, zwarte handschoenen en zij een lange jas met een bontkraag.

Omdat ik hier nu toch was, kreeg ik zin in een hotdog. Ik liep naar de kar en kocht er eentje.

Het stel was een mooie zoen aan het bouwen. Het leek alsof hun gezichten aan elkaar geschroefd waren. De kou maakte hun adem zichtbaar. In kleine wolken kwam het uit hun neuzen. Een van de handen van de man gleed over de rug van de vrouw naar haar hals. De vrouw wiebelde even wat heen en weer. Haar tenen werden moe.

Naast het stel stond een bruine tas op de grond, een mooie tas – hij hield het midden tussen een oude vertegenwoordigerstas en een dokterstas. Het leer van het handvat was enkele tinten donkerder dan de tas zelf. Het slot glinsterde in de zon.

De zoen veranderde nu langzaam. Er leek een zekere haast in te sluipen. Het was moeilijk te zien wie van de twee geliefden dit instigeerde, maar ik denk dat het de vrouw was, vanwege haar tenen.

Zij hield op.

De man zoende nog even door, wat een onbeholpen gezicht was. De vrouw die zijn mond liefdevol ontweek, zijn neus die in het bont van haar kraag viel, zijn handen die ineens niets meer op haar rug te zoeken hadden. Wat was ze ook klein nu ze weer helemaal in haar schoenen stond.

De man wist zich geen raad met zijn figuur. Hij bukte zich om de tas te pakken, deed dat ook, maar zette hem toen weer neer, sloeg een vuiltje van zijn jas, keek recht over de vrouw heen naar de klok op het Paleis en toen zuchtend naar de hotdogkraam waar ik dus stond.

Hij knikte.

Ik knikte terug.

De vrouw, die met haar rug naar mij toe stond, zag de man naar iemand knikken en draaide zich om om te zien naar wie.

Naar mij dus.

En ik knikte nu naar haar.

Ook zij knikte terug.

Ik kon aan haar ogen niet zien of ze mij herkende, maar ik kende haar wél, zij het uit een ander leven. Ze zag er beter uit dan toen, maar had nog steeds dezelfde voeten – ineens wist ik waar ik haar aan herkend had.

Ze had zich alweer omgedraaid naar de man, die inmiddels toch de tas ter hand had genomen. Nog een laatste keer wipte ze op haar tenen omhoog om hem te kussen en toen liep ze van hem weg, richting Rokin. De man keek haar na, net als ik. We hadden makkelijk een praatje kunnen maken, maar geen van beiden maakten we aanstalten.

Toen liep ook hij weg, naar de Paleisstraat. De tas zwaaide in zijn hand.

Ik nam de laatste hap van mijn hotdog. Het was niet alleen wonderbaarlijk midden in de stad een moment van grote intimiteit gade te slaan, het was ook angstaanjagend daar deel van uit te maken. Als gezegd, het voltrok zich allemaal onder een helderblauwe lucht en ik voelde dat ik rilde.

Blazer

In het restaurant aan de Keizersgracht zat een jong, modern stel aan een te klein tafeltje stijf tegenover elkaar. Hij droeg een blazer en een bril, zij een blos op de wangen.

'Wat neem jij?' vroeg de man na een tijdje.

'Hoe moet ik dat nou weten?' snerpte de vrouw onmiddellijk terug. 'Jij hebt de kaart.'

Dat was waar. De man zat er al minutenlang naar te staren. Kennelijk was nog steeds niet tot hem doorgedrongen wat er allemaal op stond. Hij gaf de kaart aan zijn vrouw.

Ze sloeg er een blik op en schoof hem toen van zich af. 'Ik heb eigenlijk niet zo'n honger.'

De man pakte de kaart weer op, scande opnieuw het aanbod, wenkte een serveerster: boosheid en teleurstelling streden op zijn gezicht. Zijn vrouw keek naar haar nagels. Ze haalde diep adem.

'Bert...' begon ze.

'Hè toe, Carla.' Hij keek geërgerd op zijn horloge. 'We hebben tijd zat.'

De serveerster arriveerde. Het was een meisje in een strakke, zwarte broek, die laag op haar heupen hing. Ze droeg ook nog een zwart truitje dat te kort was. Een aanzienlijke reep vlees lag bloot, op ooghoogte.

'Twee witte wijn,' zei Carla, op die toon die alleen vrouwen tegen elkaar aanslaan.

De serveerster krabbelde wat op een blocnote en draaide zich met veel vertoon om.

'Carla toe...' protesteerde Bert. 'We zouden gezellig doen.'

Carla zuchtte.

Bert pakte haar hand.

Toen ging in zijn binnenzak de telefoon. Onmiddellijk sloeg de stemming om. Grote opwinding maakte zich van het stel meester. Bert rukte bijna zijn jasje aan stukken in een poging zijn gsm zo snel mogelijk te pakken te krijgen (de antenne zat klem in de voering), Carla stuiterde zo driftig voorover dat ze haar hoofd tegen Berts neus stootte, waardoor hij even dreigde te moeten kiezen tussen de bliepende telefoon en zijn bril die van zijn neus schoof, maar gelukkig had hij toen het toestel al buitenboord, waarna hij alsnog iets aan zijn brilstand moest doen omdat hij anders op het verkeerde knopje zou drukken.

'Hallo! Met Bert!' riep hij.

Carla griste het toestel uit zijn hand.

'Met Carla!' riep ze.

Ze luisterde even.

'Oooh! Ik hoor haar, ik hoor haar!' stiet ze toen uit, en de blossen op haar wangen verdiepten zich en heel haar verschijning won aan glans en schoonheid. Alsof ze in de kreet haar levensdoel verwoordde.

Bert verbeet zich.

Hij hoorde niets.

Behalve Carla.

Die riep: 'Ik begin spontaan te lekken!' Ze stutte met de vrije hand haar boezem. Dramatisch.

‘We hebben net een baby,’ verontschuldigde Bert zich bij het gezelschap aan het aanpalende tafeltje. Felicitaties.

‘Nee, in het vak boven de eieren,’ meldde Carla ondertussen zakelijk aan het thuisfront.

‘We zijn er voor het eerst samen even uit,’ ging Bert verder tegen zijn buren, ‘Carla was er hard aan toe.’

De buren hadden alle begrip.

‘Gaat het verder allemaal goed? Hoe laat werd ze wakker?’ Carla klonk alsof ze jaloers was op haar babysitter. ‘We zijn zo thuis, hoor.’

Ze verbrak de verbinding.

‘Bert?’

Dit was het moment voor de serveerster. Zij landde met de wijn. Bert kon ineens zijn ogen niet van haar navel afhouden.

‘Bert? Zullen we gaan?’

Carla’s stem was één grote hunkering. Naar haar kind. Naar nog meer kinderen. Bert duwde boos zijn bril recht.

Rosmalen

Laatst was ik in Den Bosch. Ik moest daar voorlezen uit eigen werk, op een schitterende zondagmiddag. Heel Den Bosch was aan het wandelen, aan het fietsen, aan het winkelen, en ik ging voorlezen in een donkere, koude kerk. Het leven is best naar.

In de pauze van de voorstelling kwam er een vrouw naar me toe. Ze was een jaar of vijfendertig. Eerlijk gezegd best aantrekkelijk, misschien iets te tobberig, maar wel met heel lieve oortjes, met van dat donzige haar erop. Ze vertelde dat ze helaas weg moest, maar dat ze mij graag nog even wilde spreken.

'Ooh,' zei ik, want dat is vaak het beste antwoord op zulke mededelingen. Iedereen kan er alle kanten mee op, en zo heb ik het het liefst.

De vrouw aarzelde.

'Waar kom je vandaan?' vroeg ik. Als je ergens voorleest uit eigen werk kun je je dat soort vragen permitteren.

'Uit Rosmalen,' zei ze, om er vervolgens in een handjevol vloeiende volzinnen aan toe te voegen dat ze getrouwd was, twee bloedjes van kinderen had en sinds kort tot over haar oren verliefd was – en niet op haar man, maar op een ander. Vandaag had ze haar man op de mouw gespeld dat ze naar een lezing ging, maar eigenlijk ging ze naar haar minnaar, sterker nog – ze had die minnaar bij zich, kijk, daar zat hij. En ze knikte naar een man verderop die besmuikt net deed alsof er niet naar hem werd gekeken.

'Goh,' zei ik, 'doe maar voorzichtig.' Voor overspelige vrouwen heb ik een zwak, ik weet ook niet waarom, maar het huwelijk is heilig, zo'n type ben ik ook nog eens een keer.

Ze begon zenuwachtig te lachen. 'Ja, ik vind het zo spannend, ik kan bijna niet meer,' zei ze, 'ik voel me schuldig en ik ben opgewonden en ik denk aan de kids en ik wil alleen nog maar zoenen, vreselijk, heel vreselijk.' Ze sloeg een beetje rood uit bij deze woorden, en dat nam me verder voor haar in – sterker; ik zag mezelf al met haar in Motel Rosmalen liggen.

'Je moet alleen niet in de verliefdheid gaan geloven,' gaf ik haar nog wat laatste raad, 'lekker neuken, oké, maar verder moet je voor je huwelijk gaan.'

Nu zei zíj: 'Ooh.'

Ik kon daar meteen uit opmaken dat ze al veel te ver heen was in de verliefdheid – ze was gaan dromen van een ander leven. Altijd gevaarlijk, en helemaal voor een huisvrouw uit Rosmalen.

'We hebben nog geen echte seks gehad,' fluisterde ze nu. 'We vrijen stiekem in zijn auto. Stom hè? Hij is ook getrouwd.'

'Neem een hotel,' zei ik meteen, en weer doemde dat motel op dat ik onderweg naar de koude kerk bij de afslag Rosmalen had gezien, tussen een McDonald's en een benzinestation, beter kon het niet.

'Ja, ja, dat moeten we doen, ja, ja.' Misschien wilde ze

eerst een keer oefenen, met mij bijvoorbeeld.

We namen afscheid. Ik moest verder met voorlezen, en zij wilde buiten op het parkeerterrein nog even samen met haar vrijer in diens auto zitten. Eigenlijk was het hartverscheurend – wat de mensen zichzelf en elkaar aandoen, en waarom nou helemaal? Ik weet het niet, maar ik kreeg wel na afloop van de organisatie een briefje met daarop een eenzaam telefoonnummer. Er stond geen naam bij, maar het was van haar – van wie anders, de verliefde vrouw uit Rosmalen. Het was een ongelofelijk eenzaam nummer, tien getallen op een rijtje.

Hooked

'Ik ben helemaal *hooked* aan die gozer,' hoorde ik in het café een vrouwenstem zeggen.

Ik draaide me om en zag dat er een vissenmondje bij de stem hoorde, een klein, precieus mondje met een opkrullende bovenlip – en dat deed me denken aan Tsjechov, die de hengelsport bedreef en zijn geliefde, Olga Knipper, wel eens brasem noemde; een wonderlijke koosnaam, inderdaad. Hij noemde haar in zijn brieven ook wel eens paard, lief paard, hondje of hond. En als hij heel intiem werd, wilde hij haar bekloppen of al haar poten kussen. Zij op haar beurt huilde veel, en was vaak in de war: 'Waar ik ook heen ren – overal wanden. Het leven is zo groot, zo ruim, en je ziet er niets van.'

De vrouw met het vissenmondje deed haar uitspraak tegen een vriendin met een hele grote, nogal chagrijnige mond waar een sigaret in hing. Het was lang geleden dat ik een vrouw zo zag roken en daarom keek ik er net iets te lang naar. 'Heb ik iets van je aan?' vroeg de vrouw zonder de sigaret uit haar mond te nemen. De toon die ze hanteerde was agressief.

Maar ik had geen zin om me uit het veld te laten slaan

en schudde langzaam het hoofd. Al doende nam ik haar snel van top tot teen op, en ze had inderdaad niets van me aan. Ik had er trouwens beslist wat voor overgehad als dat wél het geval was geweest, al zou ik zo snel niet kunnen verzinnen welk kledingstuk dat dan zou moeten zijn, sokken misschien. 'Sorry,' zei ik.

'Geeft niet, hoor,' vervolgde de vrouw en ze nam de sigaret uit haar mond. 'Maar als vrouwen met elkaar praten, willen ze niet dat een man meeluistert.'

'Snap ik,' zei ik en ik sloeg de krant open om te kijken of er nog wat gebeurd was in de wereld.

'Ik heb het nog nooit zo erg gehad,' hoorde ik nu het vissenmondje weer, 'vroeger met Kees was het meestal drie, vier keer in de week. Maar Peter wil altijd en ik ook. Soms wil ik zelfs als hij even niet wil, hoe vind je die?'

'Het moet niet gekker worden,' zei de ander, 'je hebt het helemaal te pakken.'

'Hij kan het ook zo goed. Echt, ik wist niet dat er mannen waren die het zo goed konden. Ongelofelijk.'

Ik probeerde me op de krant te concentreren, maar er stond niets in wat me interesseerde. Eerlijk gezegd wilde ik alles van die Peter en zijn wonderbaarlijke prestaties weten. Maar het was onbeleefd om te luisteren, dat was me net nog ingeprent.

'Ik laat me echt *totally* gaan bij die man, soms denk ik dat ik droom,' vervolgde het vissenmondje – ze begon nu te overdrijven, vond ik, maar ik hield me koest en dacht nog maar eens aan Tsjechov en zijn Olga, getrouwd maar niet samen, want Tsjechov wilde een vrouw 'die zoals de maan, niet elke dag aan de hemel verschijnt'. Zij maakte daarom carrière in Moskou, ze was een beroemde actrice, en hij zat thuis in Jalta zijn verhalen te schrijven.

'Hij luistert wel, wedden,' hoorde ik nu het vissen-

mondje zeggen. Het ging over mij, dat kon niet anders.
'Hij luistert wel,' beaamde haar vriendin, 'maar hij weet niet wat hij hoort.' En ze lachte smalend.

Inhoud